GERÇEKTEN
YAŞIYOR MUSUN?

Aret Vartanyan'*dan*

DESTEK YAYINEVİ: 329
KİŞİSEL GELİŞİM: 26

GERÇEKTEN YAŞIYOR MUSUN? / ARET VARTANYAN

Genel Yayın Yönetmeni: Ertürk Akşun
Editör: Devrim Yalkut
Kapak Tasarım: İlknur Muştu
Sayfa Düzeni: Cansu Poroy
Kapak Fotoğrafı: Oktay Bingöl

Destek Yayınları: Nisan 2013
2. Baskı: Mayıs 2013
Yayıncı Sertifika No: 13226

ISBN 978-605-4771-31-8

© Destek Yayınevi
İnönü Cad. 33/4 Gümüşsuyu Beyoğlu / İstanbul
Tel:(0212) 252 22 42
Fax:(0212) 252 22 43
www.destekyayinlari.com
info@destekyayinlari.com
facebook.com/ DestekYayinevi
twitter.com/destekyayinlari

İnkılap Kitabevi Baskı Tesisleri
Matbaa Sertifika No: 10614
Çobançeşme Mah. Altay Sk. No: 8
Yenibosna – Bahçelievler / İstanbul
Tel: (0212) 496 11 11

ARET VARTANYAN

GERÇEKTEN YAŞIYOR MUSUN?

Yoksa Sadece Nefes mi Alıyorsun

DESTEK
yayınevi

"O"na...

Varoluşuma vesile olan, beni sevgiyle bütünleyen aileme...

Yaşamı aşkla paylaştığım su perisine...

Elini omzumda, yüreğimi yüreğinde tutan dostum Zuhal'e...

Hayallerime ortak olan Ebru'ya, Çiğdem ve Dimitri'ye...

Cümlelerini, dualarını, enerjilerini paylaşan, yüz binlerce yürekten oluşan tek yüreğe...

Ayrıca katkılarından dolayı Efes Pisen ailesine teşekkürler...

İÇİNDEKİLER

Kendimizi Bilerek Yaşamadıkça Yaşadığını Sananlarız

Senden bir fısıltı geldiğinde yelkenleri dolduran rüzgâr gibi yüreğimi dolduruyorsun. Elimizde oyuncaklarımız, yüreğimizde umutlarımız, ruhlarımızda yaralarımızla yaşıyoruz. Hayallerimizden vazgeçmekle vazgeçmemek arasında gelgitlerdeyiz. Ben de yazıyorum, yaşıyorum, paylaşıyorum. Yazdıklarım, cümlelerim, sesim sana ulaştığında senin söylediklerin bana güç veriyor.

Sana bu sohbetimiz boyunca uzun uzun ağdalı cümleler kurmayacağım... Kuantum, anda yaşa, çekim yasası gibi popüler yaklaşımları da kaynatıp sana sunmayacağım. Bunu yapan çok zaten. Zaten neyi keşfediyoruz ki... Mevlana yüzyıllar önce, filozoflar, ilim adamları binlerce yıl önce her şeyi söylemediler mi? Ne yapmamız, nasıl yaşamamız gerektiğini biliyoruz. Ancak, yaşama geçiremiyoruz. Cümlelerimde sana ders vermeyeceğim ben. Hayatında bir sürü insan bunu yapmaya çalışıyor zaten. Kıssadan hisse gideceğim, dolandırmadan. Sen de almak istediklerini alacak, atmak istediklerini atacaksın. Sohbetin tadını hiç bozmayacağım, her sayfada yeniden buluşur gibi. Bazen de bazı şeyleri tekrar edeceğim sana. Onlar en çok sende kalmasını istediklerim. Sonuçta ben de seninle paylaşmak istiyorum: Beni ve ötesini. Ben de sende kendimi bulmak istiyorum.

Bazen de hayalimdeki sahnelere gideceğiz. Seninle bazen deniz kenarında, bazen bulutların üzerinde, bazen de boşlukta buluşacağız. Çoğu zaman odamda olacağız. Sen nasıl hayal edersen öyle döşenecek odamın kendisi de...

Sana akıl hocalığı da yapmayacağım... Sana yanlış ya da doğru da demeyeceğim... Sadece kendi yaşamımda, kendi bulduklarımı, bana yaşattıklarını önüne sereceğim. Bana göre, benim için evrensel anahtarı dizlerinin dibine bırakacağım. Çırılçıplak, kurgusuz, plansız, her anımı katarak...

İnsanlar yaşamaktan korkuyor, yaşamaktan kaçıyor. Kendini yaşamaktan uzaklaşıyor. Kendimizi bize verilenlerle, dışarıdan yapılanlarla tanımlıyoruz, oysa çok daha fazlasıyız.

Aslında konuştuğumuz her şey yaşamak üzerine, yaşamın bir parçası... Ben de yaşamak istiyorum. Öyle bir yaşamak ki, geçmişe baktığımda pişman olmak istemediğim. Sen gibi ben de istediğim gibi yaşamamış olmaktan korkuyorum hâlâ... Her gün güneş doğuyor, sonra batıyor, takvim yaprakları kopup gidiyor. Hâlâ korkuyorum. Hata yapmaktan, acı çekmekten, başarısız olmaktan, boşa yaşamış olmaktan... Ve hâlâ soruyorum kendime, hâlâ sorguluyorum yaptıklarımı, neredeyse her an...

Dışarıda bir yaşam var, bir de ben... Her şey... Ölüm geldiğinde bitip gidecek bu yaşam. En azından şimdiki ben, bu beden toprak olacak. Bir şeyi çok iyi anladım ve bu anladığım şeydi zaten çözmem gereken. Yaşamak çok sade ve basit, bir o kadar da karmakarışık... Sana göre, bana göre sürekli değişip gidiyor duygular...

Yaşamak dediğim anda her şey koşarak toplanmaya başlıyor... Dünya, evren, aile, para, iş, aşk, doğa, savaş, seks, duygular, inanç, hepsi yaşamak... Hepsi yaşamın içinde, yaşamın kendisi...

Daha yeni başladık ama kahvem bitti. Şu an kahvesiz sohbet etmek istemiyorum... Müsaadenle... Sen de bir soluk al...

Hiç kaybetmediğim bir hayat demek, hiç kazanmadığım da bir hayat demektir. Kaybetmekten delice korkmaya başlar, sonra risk almaktan kaçar, sonra da elimizdeki hayatı tek seçeneğimiz sanmaya başlarız. Bizi yıkıp geçen kaybetmek değil, kazanmaktan vazgeçmek olur.

Kaybetmeyi bilmeyenler, yenilgi tatmayanlar kazanmanın getirdiklerini bilemez. Hiçbir şey yapmadan, risk almadan yaşayarak "Ben kaybetmedim..." diyenler asıl kaybedenler olur. Oysa kazanmak da kaybetmek de geçici...

Bugün yenilebilir, istediğimi elde edemeyebilirim. Hatta bu yüzden ağır yaralar da almış olabilirim. O zaman köşeme çekilmem, gerekirse dibe inmem gerekir. Yaralarımı sarmak, hatalarımı anlamak ve yeniden daha güçlü başlayıncaya kadar biraz dinlenmek için...

Kaybetmekten korkma... Kaybetmek de kazanmak da geçici... O yüzden kazandıklarına da fazla takılma... Bugün kazanmanın coşkusunu yaşarken, bir gün kaybedeceğinin de farkında ol... Kaybederken de kazanacağının... Ve bu düzen hiç değişmedi... Bak... Kendi hayatına, çevrene, uluslara, dünyaya... Bazen kazanır, bazen kaybeder, yaşar gideriz...

Ne bugün kazananlar ebediyete kadar kalacaklar, ne de kaybedenler... Her şey gelip geçici... Yeter ki yüreğinde kaybetme, yeter ki zihninde kabullenme sürekli kaybeden olacağını...

Geçmişte ruhunda açılan yaraların bıraktığı izlerle gurur duy. Çünkü bu izler, yaşadığını, denediğini ve her şeye rağmen denemeye devam ettiğini gösterir.

Yarası olmayan bir ruh, yaşamamış bir ruhtur. Sadece otobanda otomobil kullananlar, sadece asfalt yolları bilir...

Her birimizin ayrı geçmişi, çocukluğu, travmaları oldu... Aileye, coğrafyaya göre farklı farklı gerçeklikler yaşadık... Hepimizin başlangıçta, oyuna girdiğimiz yerler ve sahneler farklıydı. İzler kaldı, izler silindi...

Yaşamayı öğrenmeye çalışmak gafletine düşerken, oradan oraya savrulurken, savaşırken en önemli olanı fark ettim. Yunus Emre misali bir ben vardı benden içeri ve gel gör ki dışarıya göstermeye çalıştığım bambaşka bir ben vardı. Ne içimdeki ben ne de onun ardındaki bendi. Bambaşka bir ben.

Odama giren ben başka biriydi, sokağa çıkan başka... Şizofrenik bir durum değildi ancak dışarı çıktığımda saklanıyordum. Tepkilerim, davranışlarım karşıma çıkan insanlara göre şekilleniyordu. O kadar çok korkuyordum ki beğenilmemekten, onaylanmamaktan ve sonraları anladığım sevilmemekten, ilgiyi çekememekten. Karşıma çıkan her insana, başıma gelen her duruma göre şekil değiştirip duruyordum. Yalnız kaldığımda ise kendime kızıyor, kendimi acımasızca yargılıyordum.

İnsanı bundan daha çok yoran bir şey yoktu. Sürekli kendimi izliyordum. İnsanlara nasıl davranacağımı, sevdiğime sevdiğimi nasıl göstereceğimi tasarlıyordum, düşünüyordum. Karşılarına geçtiğimde ise bir şeyler tutuyordu beni. Anneme, babama bile onları ne kadar çok sevdiğimi söyleyemiyordum. Patronumun karşısına geçtiğimde ise bir şekilde söylemek istediklerim boğazımda takılıyor, yutkunuyor, bir korkağa dönüşüyordum. Filmlerdeki kahramanlar gibi olmayı umuyor, kitaplarda öğrendiklerimi hayata geçirmeye çalışıyor, her defasında çuvallıyordum.

Geceleri odamda hayaller kuruyor, okuduğum kitaplarla güvenimi tazeliyordum. Sonra hepsi uçup gidiyordu güneş doğduğunda.

Bir akşam National Geographic'te *Bukalemun* belgeselini izledim. İşte o bendim. Girdiği her ortamda, ortama uyum sağlamak için şekil ve renk değiştiren. Ben de arkadaşlarımın arasında, öğretmenlerimin ve sonrasında patronlarımın karşısında, sevgilimin yanında ve yalnızlığımda başka bir "ben"dim...

Eğer yaşamı kitaplarda, öğretilerde, filmlerde, gurularda bulmaya çalışıyorsan gerçekten yaşamıyorsun demektir. Sana hiç kimse senin yaşamını veremez. Yaşamak vermeyi deneyimlemektir, neyi alacağını, alabileceğini değil. Yaşam verilir alınamaz. En fazla neyi verebilirim diye bak en fazla neyi alabilirim diye değil.

Yaşamın kendisini güvenlikte yaşamaya feda ettik. Risk almadan, denemeden, yanılmadan yaşamak mı olur?

Başkalarının düşüncelerini o kadar çok önemsiyordum ki... Ben hep parlak çocuk olmalıydım. Okulda, aile çevresinde, iş hayatında. Herkes beni seviyor, hakkımda iyi şeyler söylüyordu. Çünkü tam da onların istediği gibi bir ben vardı karşılarında. Ama benim "ben"im yoktu, yaşamıyordu. Önüme çizilen yolda ilerlemeye çalışırken, içimdeki ses bana başka yolları gösteriyordu.

Yavaş yavaş anladım ki, bu iyi çocuk olma, karşısındakinin onayını alma ve girdiğim ortamlarda öne çıkma isteğim hep ilgi açlığımın yansımalarıydı. Aslında beni sevin, beni beğenin ve bana ilgi gösterin diye haykırıyordum. Sanıyordum ki, dışarıdaki yaşamın isteklerini karşıladığımda, insanların suyuna gittiğimde beni sevecekler, bana değer verecekler... Bu o kadar büyük bir yanılsamaydı ki... Restoranda garsondan bir şey isterken bile sevimli çocuktum.

Bukalemun belgeseliyle yanan ampul, yıllarca felsefenin, psikolojinin içindeki arayışımda topladıklarımı gün ışığı gibi aydınlattı. Bir şeyi daha anladım sihirli formül yoktu. Garanti yoktu. Bir anda bir şeyler oturmaya başlıyordu. Her şey bir süreçti. Bir kitap okuyarak, bir film izleyerek bir şey değişmiyordu. Birikenleri, arayışını patlatıyordu. Her izlediği filmden, okuduğu kitaptan bir şeyleri hayatına geçirmeye çalışan ben bundan vazgeçtim. Anladım ki, yaşamımdaki her şey, her insan, her olay bana bir şey katıyordu.

Kendin olarak yaşamanın ne demek olduğunu yavaş yavaş anladım. İlişkilerimde bile olduğum gibi değildim. Yanımdaki insanın istediği gibi oluyordum. Yavaş yavaş kendimi ortaya koyduğumda önümdeki dağ gibi sorular, engeller çorap söküğü gibi çözülmeye başladı. Önümdeki en büyük engel, düşman dışarıda değil, benim içimdeydi. Kendi kendime yorumlarla, yargılarla, senaryolarla önümü kesiyordum. İki gözümün gördüğü dünyayı gerçek dünya sanıyordum.

Önce ailem, çevrem, sonra okul, toplum, herkes ve her şey beni kendine göre yoğurmuştu. Bugün senin de günlük yaşamını belirleyen kalıplar, şablonlar böyle oluştu. Buraya kadar bu satırları okuyan on kişiye sorsan her biri başka bir şey anlamış olacak. Gerçek bir tane, ama ona bakan göz kadar gerçeklik var. Bugün yaşadığımız yaşamın en fazla yüzde 5'i yaşamın bize getirdikleri, yüzde 95'i ise bizim verdiğimiz yanıt, bizim nasıl karşıladığımız. O yüzden aynı çevrede, aynı koşullarda büyüdüğümüz halde bile aynı sonuçları almıyoruz.

Tekrar tekrar hatırlatacağım ki bu sayfalarda ders yok. Bu sayfalarda öğüt yok. Bu sayfalarda şu ana kadar tüm yaşadıklarımın, çalışmalarımın tortuları var. Şimdi bunu niye sana hatırlattım. Çünkü diyeceğim ki, Her Şey Bir ve Tek... Geriye kalan her şey yanılsama.

Şu anda sen ve ben ile aramda mesafeler var. Kim bilir sen şu an nerede okuyorsun bu satırları, ben nerede yazıyorum. Peki aramızdaki boşluk, mesafe gerçekten var mı? Şu an yüreklerimiz buluşmuyor mu? Bir gün karşılaştığımızda belki sana bunun fiziksel, spiritüal gerçekliğini anlatırım, Mevlana'dan kuantuma geçerim ama şimdi değil. Dedim ya sana ders vermeyeceğim.

Özellikle Uzakdoğu felsefesinde defalarca karşılaştığım her şeyin bir ve tek olması sonrasında teoloji okurken ve sonrasında fiziğe ilgi duyduğumda yeniden karşıma çıktığında hâlâ bir şeyler oturmuyordu. Nasıl olabilirdi ki... İşte karşımda şu an sen varsın. Dışarıda insanlar var, eşyalar var, dönüp duran bir dünya var.

Ayrılıklar sadece bir yanılsama... Bir başkasına kızdığımda, bir başkasının mutsuzluğunda mutlu olduğumda, kendime ne kadar çok zarar veriyorum. Kendimi nasıl da küçültüyorum. Bir anda ortamın yanılsamasına kapılıp, kibre, kendimi göstermeye, değerli olduğumu hissettirmeye kapılıyorum. Biliyorum sen de yapıyorsun. Biliyorum sen de bunu istemiyorsun. O kadar çaresiz kalıyoruz ki, insana yakışmayana teslim oluyoruz. Sana bir zarar verdiğimde, seni üzdüğümde aslında kendime zarar verdiğimi, kendimi üzdüğümü göremiyorum. Aslında kavga ettiğim "ben"im, kızdığım "ben"im, aradıklarını bulamadığı, yapmak istediklerini yapmadığı için öfke duyduğum "ben"im.

Zengin ya da fakir olmak, din, dil, ırk, yaşadığımız coğrafya, ağdalı dilde maddenin ve varoluşun farklı formları... Ama öz aynı... Her şey bir ve tek. Biz ayrılıkların dünyasında kayboldukça, nasıl gerçekten yaşamaya başlayabilir, nasıl gerçekten kendimiz olarak var olabiliriz?

Sen Müslüman, ben Hıristiyan, o Hindu, diğeri Musevi, biri Sufi, bir başkası Şaman... Hepimiz insanız ve hepimiz bir şekilde inanmayı ya da inanmamayı seçiyoruz. İnançlarımızın her biri aynı eve açılan farklı kapılar... Ateist ya da teist olmak insan olmanın önüne geçemez ki... Hem eğer gerçekten inanansak inandığımıza inanmayı yargılamak bize mi düşer?

Şimdi cesur bir kelebeğin yazdıklarını okuyalım... Bunu yazdığımda daha yirmili yaşlarımdaydım.

"Senin ne kadar ömrün var bilmiyorum. Ama benimkisi sana göre çok az kaldı. Senin umursamadan tükettiğin zaman, benim için bir ömür. Doğumumla ölümüm arasındaki çizgi o kadar kısa ki senin için...

Kanatlarımı açtığım andan sonrası evet çok kısa. Ama tırtıl olduğum dönemde de yaşıyordum... Sadece uçmaya başladığım anlarımı sen yaşamım olarak gördüğün için birkaç gün bile sürmüyor sanırsın hayatım. Eğer kelebekler üzerine birkaç satır okursan bazılarımızın aylarca yaşadığını görürsün. Ben aylarca yaşamaması gereken olduğum halde tam bir yıldır kanat çırpıyorum. Benim gibilere 'kelebek mucizesi' diyorlar. İnan bana palavra, mucize falan değil.

Petrol bataklıklarında yapışıp kalan dostlarım oldu. Kanat çırpmaya başladıktan sonra tek amacım neslimi sürdürmek deyip kelebek avcılarının kepçelerinde ömrünü bitirenleri gördüm. Ben, sadece yaşamak istedim. Daha fazlası değil.

Mademki azdı zamanım o zaman gerçekten yaşayacaktım. Kanatlarımı çırpmaya başladıktan sonra gidebildiğim kadar gittim, yükselebildiğim kadar yük-

seldim. Çiçekler, nehirler, kırlar, dağlar... Her biri, her şey benim gibi mucizeydi.

Boşlukta kanat çırptım, sadece yol aldım. Her anı dolu dolu bir yolculuk. Bazen seksi bir çiçeğin kalbine kondum, kokusunu içime dolu dolu çektim. Bazen pusette annesinin kahvesini bitirmesini bekleyen bebeğin parmaklarında dolandım. Gözlerine baktım. O beni görebiliyor, hatta gülümsüyordu. Annesi ise beni uzaklaştırdı, sanki zarar verecekmişim gibi.

Ölüm ritüellerini başlatıp inzivaya çekilen sürülerden kaçabildiğim kadar kaçtım. Mademki ölecektim, hiç değilse bir şey daha keşfedip ölecektim. Güvende ölmenin anlamı neydi ki zaten öleceksem, hiç anlamadım.

Fırtına, rüzgâr, yağmur... Kaçmadım... Kanatlarımı sonuna kadar açıp kendimi bıraktım. Direnmem sadece ölümüm olurdu. Akışta kaldım.

Şehirlere karıştım. Sıkılmış, vazgeçmiş gözler, kanatlarıma hayran hayran baktılar. Oysa hayran kalan bendim. Bir kez insan olarak doğabilmek için tüm dualarım..."

Mademki ölecektim, hiç değilse bir şey daha keşfedip ölecektim. Güvende ölmenin anlamı neydi ki zaten öleceksem, hiç anlamadım. Bu cümle benim yaşamıma öyle bir yerleşti ki...

Ne için yaşıyorsun? Gerçekten sen kimsin? Nereye gidiyorsun? Böyle mi öleceğine inanıyorsun? Ki her an ölebilirsin. Her an o an olduğun halinle ölebilirsin. Şu an sana bunları yazarken köpeklerim yanıma geldi. Kız olan kucağıma çıkmak istiyor. Bana sevgisini veriyor, istediği şey ilgilenmem, onu sevmem. Bu satırları sana biraz geç yazsam ne olur. Onu kucağıma alıyorum, sarılıyorum, öpüyorum. O da kulağımı, yüzümü yalamakla meşgul. Şu an bunu paylaşıyor olmam ne kadar değerli bir bilsen. Bunu yapamadığımız için anı es geçiyor, yaşamı ıskalıyor, burnumuzun dibinde olanı göremiyoruz. Sevdiklerimiz, eşimiz, anamız babamız, çocuklarımız... Asıl sorunumuz içimizdekini yaşayamamak, kendimizi bastırmak. Para, kariyer, evlilik hepsi önemli. Yaşama dair hepsi bizi etkiliyor. İlerleyen sayfalarda hepsini konuşuyor olacağım. Ancak önce bir dur. Önce kendine bak. Önce içeriyi çözelim. Çünkü diğer her şeyi buradan yansıttıklarımızla yaşayacağız. Tatile çıkarken arabana bindiğinde haritanı açıyor ve yola çıkıyorsun. Yolda göreceğin tüm manzaraları, yaşayacağın trafiği ya da yol zorluklarını, güzelliklerini ilk gaza basarken seçiyorsun.

Sen yaşamda nereye gidiyorsun? Bugüne kadar yaşadıkların, sana verilenler bunları bir yere koy. Sen koymasan da onlar zaten seninle... Yanlış doğru, iyi kötü şu ana kadar yaşadın ve geçmişi değiştiremeyeceksin. Ama bugünü belirleyerek, geleceğini seçeceksin.

Diyeceksin ki her şey benim elimde mi? Diyeceğim ki o zaman şu satırlara ne diyorsun:

"Bir akarsu denize ulaşmak için yola çıkar. Dağların, tepelerin, ağaçların, yoluna çıkan ve taşıdığı canlıların eşliğinde yoluna devam eder. Sonra önüne aniden kocaman bir kaya çıkar. Yol biter. Ne yapar? Geri mi döner? Yoksa orada yok olmayı mı bekler? Hayır. Ya inatla önüne çıkan engeli aşındırmaya çalışır, ya altına sızarak kendine yol açar, ya da kıvrılıp yönünü değiştirerek geçebileceği başka bir nokta arar. Belki yolu uzar, denize ulaşacağı zaman uzar ama eninde sonunda denize ulaşır, okyanusa bağlanır."

Yeter ki senin de gideceğin denizin olsun. Yaşamda her zaman sürprizler, tekâmül yolculuğumuzda almamız gereken dersler, acılar olacak. Hepsi senin yaşamını oluşturacak. Yaşamımızın özü ulaşacağımız yer değil, oraya giderken nasıl yaşadığımız, nasıl var olacağımız...

Zaman zaman kayboluyorum kendi yolumda... Kapanıyorum, kırılıyorum, kendi odalarıma çekiliyorum. Yaralarım kanarken kibre sığınıyorum, üzerini örtüyorum. Kaçınılmaz fırtınaların ortasında kalıyorum. Bunun ne demek olduğunu sen de çok iyi biliyorsun. Bu da neymiş diyorsan zaten yaşamıyorsun demektir. Kendinden çoktan vazgeçmişsin demektir.

Bazen çok yorgunsun, bazen çok bitkin... Bazen heyecanlı, coşku dolu, hırslı... Değişiyor zamandan zamana, durumdan duruma... Hepsi gelip geçici. Anlamamız gereken ne kazanmak ne de kaybetmek kalıcı... Ne de duygularımız sürekli... Ne de hayatın akışı... Üzülecek, sevinecek, düşecek, kalkacak, yaşayıp gideceğiz... Yaşarken nereye gittiğin belirleyecek sonunu... Kalıcı olarak geride bırakacakların ise, başka yüreklere çizdiğin resimler olacak.

Hiçbir durum, duygu kalıcı ve sürekli değil. Her şey akıp gidiyor, değişiyor. Yaşamın sürprizleri hepimize eşlik ediyor. Dört bir yanına duvarlar örüp, yaşama, dünyaya kapanarak da yaşayabilirsin; kollarını iki yana kocaman açıp yağmurun altında ıslanan özgür bir ruh gibi yaşama kapılarını da açabilirsin. Sonuçta süreni öyle ya da böyle dolduracaksın. Nasıl dolduracağın sana kalmış.

Önce koşullarını bir yana koy. Geçmişini diğer yana... Tüm kalıplarını, şablonlarını, tortuları da öteki tarafa... Seni yaralayanlara ve kendine duyduğun öfkeyi de birkaç dakikalığına sustur. Önüne beyaz bir kâğıt koy. Yıllar sonra nerede, kim olacağını, yaşamında neler olmasını istediğini hayal et. Gerçekten sadece hayal et. Elinde sihirli bir değnek varmış ya da Alaaddin'in Sihirli Lambası'nı bulmuşsun gibi...

Ve bir söz ver. Ne olursa olsun kendinden, inandıklarından, değerlerinden vazgeçmeyeceksin. Maskelere bürünmek zorunda kalsan bile gideceğin ışığı hatırlayacak, gülümseyeceksin.

Saat gece yarısını vuruyor. Bir gün bitti, yenisi başladı. Her yeni gün ne kadar çok şeye gebe... Seviyorum geceyi, karanlığı, şehrin ışıklarını birer birer söndürüp gökyüzünü yıldızlara bırakmasını ve içimdeki sesin yükselmesini. Bir de özlemin çığlıkları yükseliyor karanlıkta. Senden uzakta, haberini beklediğin ya da kaybettiğin birileri varsa eğer... Er ya da geç sevdiklerimizi de yitireceğiz ölümün gerçekliğinde... Her şey gelip geçici...

Oysa ne kadar çok yaşamımızı dışarıya bağlıyoruz. İnsanları değiştirmeye çalışıyor, her şeyin bizim istediğimiz gibi olmasını istiyoruz. Her insanın da bizim gibi arayışları, korkuları, hayalleri, gelgitleri olduğunu görmezden geliyoruz.

Gecenin karanlığında belki de senin gündüzünde bir kez daha soruyorum: Nereye gidiyorsun? Ne istiyorsun? Sen kimsin? Sen sana söylenen, sana gösterilen değilsin. Kim ve ne olduğunu sen biliyorsun. Sen kendi hayallerine ulaşmak için yürü, ne olabileceğini ispatlamak ve değerli olduğunu göstermeye çalışmak için değil. İnsanlara üstünlük taslayarak, ezmeye çalışarak kendini yükseltemezsin, sadece alçaltır; kendi âcizliğini pekiştirirsin.

Hayalini çizdikten sonra bugün ne yapabileceğine bak. İlk adımın ne olacak? Belki bu ilk adım seni korkutuyor. Hepimiz yola çıkarken o ilk adımdan çok korkuyoruz. Belki şu an sana ağır gelen bedeller ya da yanılsamalar içindesin. Ya da hayaline ulaşmanın garantisini arıyorsun. Yaşamda hiçbir şeyin garantisi yok. Bu gecenin sabahını görüp, görmeyeceğimi bile bilmiyorum.

Kendimizi çok sıkışmış hissettiğimizde en sert tepkilerimizden, boşalmamızdan en yakınımızdakiler nasibini alıyor. Kırmak istemediğimiz insanları kırıyoruz. Sonra pişman oluyoruz. Kendimize daha da çok kızıyoruz. Atmamız gereken adımları bilip de atamadıkça sıkışmışlık duygumuz daha da artıyor.

Hayalimizdekileri yapabilmek adına yaşamaya başlamamızın önünde en büyük engel başkalarının düşüncelerine verdiğimiz önem. Başkalarının düşüncelerini tahmin ederek, yorumlayarak elde ettiğimiz sonuçlara göre şekilden şekile giriyoruz. Bu yüzden istediğimiz saç şeklini, kıyafeti bile seçemiyor, özgürce dans edemiyoruz. Bu hayat senin hayatın. Kendi yaşamını yaşayamadıkça başkalarını suçlayacak, bencilleşeceksin. Gerçek bencillik kendinden vazgeçtiğinde başlayacak.

Öyle ya da böyle ne yapmak istediğimizi biliyoruz. Bir yerde yaşamın mengenelerine sıkışıp kalıyoruz. Kendimizle olan kavgamız, yaşamımıza olduğu gibi yansıyor.

Çok iyi biliyorum sıkışıp kaldığın anları. Kendine ve dünyaya isyan ettiğin anları. Ben de insanım. Ben de korkuyorum. Ben de kaçıyorum. Ben de kabuğuma saklanıp kalmak, bazen her şeyi bırakıp gitmek istiyorum. Sonra güneş doğuyor ve her şey kaldığı yerden başlıyor. İhtiyacım olan, ihtiyacın olan cesaret. Kollarımızı kapatıp, duvarlarımızın arkasında saklanmaktan, yaşamla saklambaç oynamaktan vazgeçip yaşamaya başlamak. Kim bilir neler yaşadın? Ailende neler gördün, ilk aşkında, sonrakilerde neler oldu, ne kadar çok hayal kırıklığı yaşadın. Ben de yaşadım. Şu anda yüreğini hissediyorum. Kendini zaman zaman nasıl yalnız hissettiğini biliyorum. Seni tanıyorum.

Sürekli mutlu olarak yaşayamazsın, fanusun içinde saklanamazsın. Yaşamda kendin olarak ödeyeceğin hiçbir bedel, kopya bir hayatı yaşarken ödeyeceğin bedelden daha ağır olmayacak. Ne kadar çok cesur bir insan olmak istediğini biliyorum.

İçimdeki yargıç konuşmaya başladığında kendimi ilmik ilmik önüme döküyorum. Yaptıklarımı, yapacaklarımı, yapmaya çalıştıklarımı... Kimler büyüttü bu yargıcı, kimler güçlendirdi. Annem, babam, çevremdekiler. Günah dediler, sana yakışmaz dediler, sen bu değilsin dediler. Onların istediği gibi olmayan hiçbir yanımı sevmediler, Kabul etmediler. Bilmiyorlardı ki öldürdükleri, vazgeçirdikleri bendim...

Varsay ki yarın yeni bir sayfa açacağız. Bugüne kadar yaşadıkların kaderindi diyelim, ya yarın... Yol haritasını çıkarmak, hedefleri koymak, nasıl yaşamak istediğini seçmek kolay olan. Zor olan eylem. Zor olan olmak istediğimiz değil, olduğumuz olabilmek. Defalarca söyleyeceğim, kendimizden başka her şey olmaya çalışıp, kendimiz olmaktan kaçıyoruz.

Bugün kendimi yorgun hissediyorum. Yorgunluğum bedenimde değil, ruhumda hissettiriyor ağırlığını... Çöldeki vahalar gibi, yaşamda sığındıklarım olmasa duramam buralarda... Artık çocuk değiliz... Masum çocuklar hiç değiliz.

Gel otur her şeyi bırak. Tamamen benimle ol. Gözlerime bak. Biraz nemliler bugün. Çünkü bugün bir hayal kırıklığı daha yaşadım. Ne kadar alışkın olursak olalım, koyuyor insan yine yeniden koyuyor aradıklarımızı bulamamak.

İstesen de istemesen de soluk almaya devam edeceksin. Güneş doğup batacak ve sonunda öleceksin, öleceğim. Ölümü sonra konuşacağız. Öyle ya da böyle bu beden toprak olacak. Böyle bakınca ne kadar acı çekebilirim, ne kadar kötü olabilir ki yaşam. En çok pişman olduklarımız içimizde biriktirdiğimiz, yaşayamadıklarımız olacak. Din, para, alkol, seks ya da uyuşturucu... Yaşama katlanmam için bir afyona dönüşebilir... Kaçmak için bir çıkış bileti olabilir. Yapma. Ne olur yapma. Yaklaş... Elimi tut. Ve dinle...

Geçen her an bir daha geri gelmemek üzere gidiyor. Korkarak, saklanarak, katlanarak, risk almayarak çözemeyiz yaşamı... Yaşamı, yaşayarak çözeceğiz. Senin geçmişini ve hayallerini bilmeden sana ahkâm kesemem. Ancak sana ana kapının anahtarı verebilirim. Bundan sonraki bütün başlıklar, bütün sayfalar bu ana anahtarın parçaları olabilir ancak... Sonunda almak istediği kadarını alacak ve kendi yaşamına katacak olan yine sensin.

Yaşamak demek, anlamak demek. Yaşamak demek, kendini ortaya koymak demek. Yaşamak demek, yaşayan senin, seni tanıması ve ortaya çıkartması demek. Yaşamak her şeyin başı ve sonu demek. Her şey, her an, şu an burada... Şu an seninle benim aramda duruyor. Şu an nefes alırken, sen ve ben bu satırları paylaşırken yaşamak bu demek. Yorumsuz, senaryosuz, var olan.

Kendimizi bilemedikçe, anlamadıkça, ortaya koymadıkça yaşayan ölüleriz. Her yerde görebilirsin yaşayan ölüleri. En yakınında, sokakta, yaşamaktan vazgeçmiş yaşayanları görebilirsin. İlkönce kendimizi anlamak, ne olduğumuzu tanımak ve içimizdekileri dışarıya taşımak... Kendimiz olamadıkça sadece yaşayan ölüler olacağız.

Başka biri olmaya çalıştıkça, başka birini oynadıkça, her şeyden önce kendimizi kandıracak, sorumluluğu sürekli dışarıya atacak ve kendimize ait olmayan kopya bir hayatı yaşayacağız...

İstemekten Vazgeçip Ruhumuzu, Duygularımızı Hissederek, Onları Dinleyerek Yaşamak

Sürekli fikir değiştirirsek ne evren, ne Tanrı, ne de herhangi bir güç bize yardım edebilir. Yaşam yaratıcı bir süreç. Kararlarımız da seçimlerimiz de sürekli değişiyor. Yaşadıkça, büyüdükçe değişiyoruz. Yaşam kendimizi deneyimlediğimiz bir süreç. Karar değişince, istek değişince, süreç de değişiyor.

Aynı anda ne kadar çok şey istiyoruz. Birkaç kez duvara vurunca hemen vazgeçiyoruz. Aynı anda her şey olmaya çalışırken, hiçbir şey oluyoruz. Biliyorum tek bir şeye yoğunlaşıp orada kalmak kolay değil. Zihnimizdeki yargıç sürekli konuşuyor, bizi yargılıyor. Geçmişimiz sürekli önümüze geliyor. Değerini geçmişinle değerlendirmeyi bırak. Geçmişinde sana yapılanlar kadar sen de istemediğin bir sürü şey yapmış olabilirsin. Geçmişindeki "sen"in günahları, hataları, başarısızlıkları yarınında yok. Her an her şey yeniden başlıyor. Kaldı ki seni yargılayabilecek olan sensin. Yaradan bile seni her şeyinle kucaklarken, kulların yargıları ne ki... Sen güzelsin. Sen de ben gibi, hepimiz gibi eksileri, artıları, göremediğimiz karanlık noktalarımız, defolarımızla bir bütünsün ve güzelliklerin katbekat ağır basıyor. Ben seni bugününle şu an seviyorum.

İstediğin her şey iyi ya da kötü gelir. Neyi istiyorsak o verilir. Çoğu zaman bunu ben istemedim deriz. Bunu hak etmedim deriz. Ama derinlere baktığında en derinde bir yerlerde içten içe korkunu görürsün. Günün sonunda neyi isteyip istemediğimiz değil, seçimlerimiz önemli. İstediğimiz her şey, iyi ya da kötü, olmaz ama seçtiğimiz her şey olur. Seçimlerimiz, kaderimizi yaratıyor.

Bize hep istemenin, başarının yüzde ellisi olduğunu söylediler. Bence, istemek hiçbir şey. Eylem olmadan, harekete geçmeden bir anlamı yok. Yaşama geçirilemeyen bilgi kadar gereksiz.

Dışarıda kar yağıyor. Kar taneleri ne kadar huzurla düşüyor. Sade, sakin, bu yüzden görkemli. Kar taneleri, kendileriyle kavga etmiyor. Sadece varoluşunu ve yok oluşunu yaşıyor. Sen ne için yaşıyorsun?

Hayata kim olduğumuzu bulmak ve yaşatmak için geldik. Her birimizin gelişinin bir nedeni olduğuna tüm benliğimle inanıyorum. Doğduğumuz andan başlayarak unutmaya başladık. Sürekli önümüze bir şeyler konarak, olmamız gereken söylendi. Her geçen gün içimdeki ben ile dışımdaki ben böyle farklılaştı. Birlikten koparak, ayrılığın dünyasında illüzyonlara savrulduk. Kaynaktan, kendimizden, doğadan her geçen gün biraz daha koptuk.

Sürekli düşünüyor, aklın mantığın söylediğini yapmaya çalışıyoruz. Bu yüzden de sınırlı yaşıyoruz, sınırlanıyoruz. Düşünürken, şu ana kadar yaşamımızda dışarıdan yüklediğimiz ne varsa dönüp dolaşıp aynı verileri işliyor, aynı hammaddeyi kullanıyoruz. İki gözümüzün arkasından gerçek sandığımız dünyayı, bize öğretilenler, gördüklerimiz çerçevesinde anlamaya, çözmeye çalışıyoruz. Oysa, bundan çok ama çok daha fazlası var.

Sınırlarımızı aşabilmek, ne olduğumuzu bulabilmek için aklıma değil, sezgilerime güveniyorum. Ruhumun sesi olan sezgilerim. Yaşamımız akıl ile yürek arasındaki kavgayla karar verdiğimiz seçimlerden ibaret. Ruh, görüp göremediğimiz her şeyi algılıyor, topluyor ve bize getiriyor. Bizimle sezgiler aracılığıyla konuşuyor. Biz ise, sınırlı kaynakla oluşan zihnimizdekilere esir olmayı seçiyoruz çoğu zaman. Oysa hayata kim olduğumuzu bulmak ve yaşatmak için geldik. Bunu yaşarken oluşturulmuş akıl/zihin ile değil, ruhunla ve ruhunun sesi sezgilerinle bulabilirsin.

Başkalarınca konan ahlak sınırları, kurallar bizi sınırlar. İnsan en yüksek değerde kendi seçimlerini yapabilir ama sınırlarımızdan dolayı bunu yapamıyoruz... İtaat ediyor, gelişmiyoruz. Gelişim özgürlükle olur. Gelişim kalıplarla, formüllerle değil, edebiyatla, müzikle, sanatla, felsefeyle, yani yaşamın içinden gelenle olur.

Dediğim gibi hayata kim olduğumuz bulmak ve yaşatmak için geldik. Bu yüzden, herhangi bir şeye karar verirken bir an dur ve şunun cevabını ver: Sen neyi seçerdin? Seçim yaparken çevrendekilerin yorumları, kalıplar, senden beklenenler mi yoksa sen mi baskınsın. Her seçimin seni yansıtır, seni yaratır.

Düşünce, his, ifade bir olduğunda yolculuk kolaylaşır. Dokunduğun her şeye, attığın her adıma Ne ve Kim olduğunu yansıttığında seni yaşamaya başlıyorsun. Ruh yaratır, zihin reaksiyon verir. Aklına değil ruhuna güven. Akıl seni geçmişe, garantiye yönlendirir. Sezgilerin, yüreğin sana o anın deneyimini verir. Geçmişe ya da geleceğe göre değil, şu ana göre. Geçmiş ve geleceği aklın yaratır, ruhun değil.

Yaşamı kurallara boğuyoruz. Doğrularla, yanlışlarla. Hangi doğru, hangi yanlış. Her anı da o kabul ettiğimiz kurallarla kirletiyoruz. Onlara benzetiyoruz. Her an her şey değişirken, büyüyoruz, gelişiyoruz, değişiyoruz. Güzelleşeceğimize, yükseleceğimize, büyüyeceğimize kirleniyoruz. Yaşam katıksız bir kendini keşfetme ve deneyimleme sürecinden fazlası değil ki... Her anıyla, her noktasıyla, her varoluşla ve senin varoluşunun her bir parçasıyla... Kim olduğumuzu, önümüze koyduğumuz doğru ve yanlışların sınırlarıyla tanımlarken sınırsız olanı sınırlıyoruz.

Tut elimi... Şu an her nerdeyse tut elimi ve bırakma. Bana katıl. Pencerem açık, beyaz tüller gecenin rüzgârında savruluyor. Seninle yavaşça pencereye yaklaşıyoruz. Kulaklarımızda *The Fountain Soundtrack* "Death is the road to awe." Sürgülü kapıyı iyice açıyorum. Şehrin kokusu, havası, gecenin gizemli gürültüsüyle odamıza doluyor. Aşağıya bakmaya korkuyorum. Çocukken de ne zaman yüksek bir yerden aşağıya baksam "Acaba atlasam ne olur?" diye sorardım. O yüzden hep korktum. Belki yalnız olsam aynı soruyu yine sorardım ama şimdi seninleyim, elini tutuyorum.

Beyaz tülün bedenimdeki salınımları, şehrin ışıkları, senin kokun, elimdeki sıcaklığın. Ne zaman, ne mekân, ne cinsiyet... Yanımdaki senin kim olduğunu bile bilmiyorum, bir tek hissettiğim avuçlarıma akıttığın saflık, yüreğinin ritmi... Koşulsuz, sınırsız... Her şey şehir, gece, zaman, her şey bir anda karışıyor, dönmeye başlıyor. Her şey, gözlerimizin önünde ayaklarımızın altında girdaba dönüşüyor. Binalar girdaba karışıyor, denizler, şehirler, sınırlar, her şey dönüyor. Şimdi tüm dünya ayaklarımızın altında, gözlerimizin önünde birleşiyor, hızla süte karışan kahve gibi kayboluyor. Bana güven, elimi sıkı tut, daha sıkı. Kendimizi boşluğa bırakacağız. Düşmeyeceğiz, boşluk bizi taşıyacak. İnsanın unuttuğunu, görmediğini, bedenin, zihnin ötesini beraber hissedeceğiz.

Haydi, şimdi, bırak kendini...

Kısa bir düşüş, kaydıraktan kayarken hissettiğimiz

içimizi gıdıklayan bir düşüş hissi... Boşluk bizi taşıyor, sağdan sola soldan sağa, oradan oraya savruluyoruz, uçuyoruz... Daha hızlı daha hızlı... Yükseliyoruz, yükseliyoruz... Boşluğun ferahlığı... Biz yükselirken bizden uzaklaşan girdap duruluyor. Sınırlar, şehirler, yeniden düzenine dönüyor. Bulutların arasında yükselmeye devam ediyoruz. Yıldızlara karışıyoruz. Ne kadar çoklar. Kıvılcımların arasında yol alır gibi... Yanmıyoruz, ne kadar çoklar yıldız yağıyor. Küçük Prens aklıma geliyor. Bizim yıldızımız hangisi acaba?

Ne kadar muhteşem, sen gibi ben gibi... Milyarlarca elektronun birleşimi değil miyiz? Bizim bedenlerimizi oluşturan muhteşem uyumu göremesek de biliyorum ki bütünün her bir parçası bütünün tüm şifrelerini taşır. Evren, kâinat, yıldızlar, sonsuzluk hepsinin şifreleri her bir hücremde, her bir hücrende.

Aşağıya bak, dünyayı seçemiyoruz bile artık. Milyarlarca dünya var. Samanyolu bile sadece bir küçük parça. Sonsuzluk... Sen de ben de bu sonsuzluğun bir parçasıyken, yaşadığımız günlük hayata bak.

Birazdan telefonun çalacak, biri senden bir şey isteyecek ve sen kitabı kapatmak zorunda kalacaksın. Ben burada seni bekliyor olacağım geri gelene kadar. Birileri sana bir şey söyleyecek, birileri seni korkutacak ya da sen bir şeylerden korkacaksın. Sınırlarımıza geri döndüğümüz andan itibaren kendimizi unutuyor olmamız asıl rüya... Doğduğumuz anda bedenlerimize sıkışan ruhlarımız gibi... Bedenlerimiz, ruhlarımıza ihtiyaçları olan deneyimleri yaşatmak yerine, hapishanelerine dönüştü. Ruh, bedende kendini deneyimlemek isterken kendini sıkışmış buldu. Rüyalarda kaçıp gitmek bile yetmiyor artık. Ruh, tekâmülünü bedenin güçlenen gardiyanlığında sürdüremiyor.

Sen, senin ne olduğunu bilmezsen, iyi ve kötünün ne olduğunu bilemeyeceğin gibi senin için neyin iyi neyin kötü olduğunu da bilemezsin. Başkalarının onayı gerekmediğinde, ruhunu dinlediğinde gerçeği yaşayabilirsin. Düşüncelerimiz gerçekten bize mi ait, yoksa birileri sürekli bir şeyler mi yüklüyor? Aile, okul, toplum, ahlak... Ahlak'ın kitabını kim yazdı. Birinin yanında çıplak dolaşmak ayıpsa, ilkel kabilelerin hepsi edepsiz mi? Her şey, var olduğu zaman içinde, var olduğu yerde şekilleniyor. İnsanlık ise, kendi totemlerini yaratarak, oluşturulan doğruları gelecek nesillere dikte ediyor. Bir an düşün, şu anda sahip olduğun fikirlerin, kalıpların, şablonların ne kadarı senin deneyimin, ne kadarı sana verilen? Her şey, her an değişirken değişmeyen senin varoluşunun yolculuğu...

Kendi gerçeğini yaşamadığın için seçtiğine ulaşmak da uzun sürüyor. Düşüncelerini aklın yaratır, duyguların ise gerçektir. Hapsettiğin, dizginlediğin, yok saydığın duygular ruhunu kirletir, zihnini ve bedenini hasta eder.

Kendin için en iyi seçim başkaları için de en iyi seçimdir. Başkasına verdiğin şey kendine verdiğin şeydir. Bunun farkında olduğumuzda nasıl utanılacak bir şey yapabiliriz? Utandığımız şeyler, korkularımızın illüzyonu ve bize dayatılan doğruların çarpıtmasından öteye geçemez. Galileo Dünya yuvarlak dediği için öldürüldüğünde günahkâr, utanmaz, kötü bir insandı. Hâkim düşünce, egemen güç değil, yaşamın kendisi gerçek yargıç olduğunda yaşamaya başlıyoruz.

Düşünerek sadece sınırlı bir alanı kullanıyoruz. Sadece gördüklerimiz, duyduklarımız, yaşadıklarımız ve bize verilenler... Ruh ise, görünen görünmeyen, bilinen bilinmeyen her şeye ulaşıyor. Ruh gözün göremediğini, kulağın duyamadığını, bedenin dokunamadığını biliyor. Ruh, bizimle sezgiler aracılığıyla konuşuyor. Bazen içinden gelen ses, bazen karnındaki ağrı, bazen yüreğindeki sıkışma. Aslında her zaman ne yapman gerektiğini yüreğinde, içinde hissediyor ve çok iyi biliyorsun. İşte o zaman yargıç devreye giriyor, düşünceler seni engelliyor. Bir de bakıyorsun ki önündeki en büyük engel sen olmuşsun.

Tam bir adım atacakken, tam bir karar alacakken hesap kitap başlıyor. Zihnimizin ürettiği senaryolar yazılmaya başlıyor. Yaşam böyle ıskalanıyor. Ya da birileri geliyor ve diyor ki: "Yapamazsın!" "Olamazsın!" "Sen beceremezsin!" Ve biz vazgeçiyoruz, sınırlarımıza çekiliyoruz. *Truman Show* filmi bunu ne güzel anlatmıştı. İzlemediysen mutlaka ama mutlaka izle.

Çoğumuz sadece "istemek" eylemini seçiyor. Ne kadar çok istersek isteyelim inanmadığımız bir şeyi elde edemiyoruz, ulaşamıyoruz ve olamıyoruz. Beden-ruhzihin sözcüklerle, düşünce ve davranışlarla birleştiğinde çekim yasası çalışır. Vermeye başlayınca o sana gelir. Ne veriyoruz? Düşünceler, duygular fiziksel boyutta deneyime dönüşüyor. Ne düşünüyorsak onu veriyor. Rüşvet gibi verirsek, bunu ne Tanrı, ne evren samimi buluyor ve ulaşmak istediğimiz her an biraz daha uzaklaşıyor. Kim olmayı seçersen onu yaşarsın, o yüzden sık sık fikir değiştirme. Hele hele sana söylenenlere göre, önüne konanlara göre sakın değiştirme.

Ruhun, seninle sezgilerin aracılığıyla konuşuyor. Gerçekten ne istediğini bul ve onun için yürümeye devam et. Seni farklı kılacak olan, seni sen yapacak olan tek şeyi sen biliyorsun sen taşıyorsun. İçindeki ses, senin neden bu dünyada olduğunu, nereye gitmen gerektiğini sana sürekli fısıldıyor. Sen onu örttükçe, susturdukça kayboluyorsun, kayboluyoruz. Hepimiz birbirimize bağlıyız. Her şey bir ve tek. Sen kaybolursan, her şey kaybolur. Puzzle sensiz eksik kalır. Evrenin matematiğinde yanlış ya da eksik yok. Bugün dünyanın geldiği nokta, puzzle parçalarının yerine oturamamasından.

Şu anda yaşadığın hayat olmak istediğini ve ne olduğunu yansıtıyor mu? Kendi isteklerimizi anlamadan sürekli başka insanların ihtiyaçlarını anlamaya çalışıyoruz.

Beyninin, mantığının sesine değil; ruhunun dili sezgilerine güven. Kendin gibi yaşayarak ödeyeceğin en ağır bedel, kopya bir yaşamı yaşarken ödeyeceğin bedelden daha ağır olamaz. Her satırımda sen varsın.

Duygularımı bastırdıkça, onları yok saydıkça kendime ihanet ediyorum. Bütün duyguların temelinde sevgi ve korkunun dansı var. Tüm duygular bu iki duygu arasındaki yelpazede yerini alıyor. Sanıyoruz ki, duygularımızı göstermezsek, bastırırsak, içimizde yaşarsak daha güçlü oluruz. Duyguları göstermemeyi marifet sanıyoruz. Benim için gerçek güç duyguları saklamak ya da bastırmak değil. Cesurca içimde doğanı göstermek, ortaya sermek. Duygularımın ritmini yok etmeden, duygularımla var olmak. Onlar benim. Onlar "ben"im.

Bu satırları sana yazarken, saat gece yarısını çoktan geçti. Hafiften bir uyku, derinden bir baş ağrısı var. YouTube'da birbirinden alakasız şarkıları ardı arkasına çalıyorum. Her şarkı beni başka bir yere götürüyor, farklı duyguları tetikliyor. 90'ların şarkılarını dinlemekten vazgeçememenin nedeni, şarkılar değil, şarkıların masama serdiği anılar. Ne çok kırılmış, ne çok üzülmüş, ne çok sevinmişim. Geçmişte yaşadıklarım, her geçen gün biraz daha duygularımı törpülemiş. Kınalıada'nın mimoza kokan sokakları, Kurtuluş'un taze ekmeğe karışmış turşu kokusu, Cihangir'in kuytu sokaklarından denize uzanan günbatımı... Koku ve müzik... Duygular mı onlara yapışır, onlar mı duygulara?

Suçluluk duyduğum, utandığım, yapmamalıyım deyip yaptığım o kadar çok şey var ki... Duygular dizginlenemez, önüne set çekilemez. Sen, duygularınla var oluyorsun. Duygularımızı yok edemez, onları yaratan nedenleri değiştirebiliriz.

Yaşananlara bazen bir şarkı, bazen bir koku, bazen bir tat, bazen bir renk yapışıp kalıyor. Hiç olmadık bir zamanda anılar bir anda canlanıyor. O kadar ucuz değil hayat. Kolay olgunlaşmıyor ruhlar. Üst üste ekleniyor her şey, art arda geliyor tüm yaşanmışlıklar ve sonunda aynada bugünkü sen.

Gerçekten Ne İstediğimizi Ararken Geçmiş ve Gelecekte, "Zaman"da Kayboluyoruz

Yaşamımızın özü ulaşacağımız yer değil, oraya giderken nasıl yaşadığımız, nasıl var olacağımız...

"Şimdi"den bir not:

"Beni neden anlayamadığını anlamakta zorlanıyorum artık. Senin tek gerçeğin, varoluşun benim ama sen beni görmezden geliyorsun. Benimle ilgilenmiyor, farkıma bile varmıyorsun. Yanılsamalar dünyasında yüzüyorsun.

Bana hiç kızma içim dolu. Yansımalarımda kaybolup yitiyorsun. İnanmıyor musun bana? O zaman sen söyle, hayatını benimle 'şimdi'de mi yaşıyorsun, yoksa yansımalarım 'geçmiş' ve 'gelecek' ile mi?

Benimle yaşadığın her şey zaten geçmiş ve gelecek... Onlar da gerçekte benim içimde yaşıyor. Sen daha bu satırları okurken, bir öncekiler uçtu gitti bile. Okudun bitti ve geçmiş oldu. Ve aynı satırlar geleceğini de oluşturdu. Her cümle sende bir şeyler değişti-

riyor. Her an değişiyorsun. Her an bir önceki andaki sen değilsin.

Geçmiş dediğin anlarda yanlış yaptıysak onu ancak 'şimdi' bende düzeltebiliriz. Geleceği de beraber şekillendiririz.

Benimle kaldığın her an yaşamı gerçekten görürsün. Gerçekten yaşarsın. Düşünsene yaşam sana bir şeyler getiriyor, söylüyor ama sen onunla ilgilenmiyorsun. Neden? Çünkü yanılsamalar diyarından gelen ya geçmiş ya gelecek ile ilgileniyorsun. Burayı iyi anlamak zorundasın eğer gerçekten yaşamak istiyorsan. Şimdi de sana sıradan bir örnek.

Düşünki birine hayatının fırsatını anlatıyorsun. Ona ihtiyacı olanı gösteriyorsun. O ise seni dinlemiyor, sağa sola bakıyor, başka şeylerle uğraşıyor. Camdan dışarı bakıyor, dergileri karıştırıyor, yemeğini yiyor ama seni dinlemiyor. Sadece dinliyormuş gibi yapıyor. İşte beni dinlemeyenlerin sadece yaşıyormuş gibi yapmalarına benziyor bu da...

Geçmiş ile gelecek arasında mekik dokurken beni atlıyorsun. Ya çoktan yok olmuş geçmiştesin ya da daha var olmamış gelecektesin.

Saatler, günler, aylar geçip gidiyor. Elinde kalan tek şey ise benim. Ben yaşadığın şu 'an'ım, ben 'şimdi'yim.

Bir şey yapacak ya da başlayacaksan şimdi adımını atmalısın. Yarın değil, şimdi.

Ertelemekten vazgeç. Yapman gerekeni şimdi yap ve kurtul. Ertelediğin her şey seninle yaşamaya devam eder, ayak bağın olur.

Geçmişini kurcalamayı bırak. Bugünkü sorunlarını çözebiliyorsan zaten geçmişini çözüyorsun demektir.

Hayal ettiğin, hep bir gün gelsin diye beklediğin 'geleceğin'i şimdi, her soluk alışında inşa ediyorsun. İhtiyacın olmayan her şeyi çıkar at, beni temiz tut."

An da olmak yerine ana dair düşünceler üretiyoruz. Bu şekilde yaşayınca sadece kendimizi tekrar ediyoruz.

Birilerini hayal kırıklığına uğratmaktan korkuyoruz. Önce annemiz, babamız, sonra eşimiz, çocuklarımız, dostlarımız. Herkesin istediği gibi olduğumuzda, iyi insan diyorlar bize. Karşı olduğumuzda kötü oluveriyoruz bir anda. Bir türlü en derine, kendi dünyama inemiyorum.

Geçmişe dönüp bakınca ne kadar çok hata var. Nasıl da maymun iştahlıymışım. Defalarca sil baştan. Bazılarında olaylar, bazılarında insanlar... Sanırım ki geriye dönsem farklı olacak. Bilirim ki o zamanki ben, daha fazlasını yapamazdı. Ayrılığın acısı bitsin diye uğraşmaya, hislerimden kaçmaya gerek yok. Bazıları bir ömür benimle yaşayacak, koynumda taşınacak. Şu anda yudumladığım bir kadeh şaraptan daha az iz bırakacak olsa da benimle kalacak.

Bir kadeh daha şarap... Kendimde derinliklerimde, karanlığımda kayboluşum... Kendi derinimden korkuyorum. Kapının önünde voltalar atıyor, itmekle itmemek arasında gidip geliyorum. Kapının ardındakilerden, yıllardır örttüklerimle karşılaşmaktan, yüzleşmekten korkuyorum. Kulağımı kapıya yaslıyorum, ellerim titriyor. Unutmaya çalıştıklarımın sesleri geliyor. Aşklarım, cüzamlı hastalar gibi tecrit edilmiş yaralarım, korkularım, utandıklarım, affedemediklerim... Ya nefesim sıkışır, sessiz çığlıklarım ses bulur, kulaklarımı sağır eder yok olursam? Onlar yokmuş gibi yaşarken de yok olmadık mı? Belki de ben yok olurken, sen bir şeyler bulursun. İşte bunun için kapıyı açmak, rutubetli duvarların arasında kalmak, parçalarıma ayrılırken sana ses vermek. Belki hiç okumayacaksın, güleceksin, kapılarını daha sıkı kilitleyeceksin. Bunu senin için değil, kendim için yapıyorum. Ve biliyorum ki yalnız da ayağa kalkabilirim, o odalardan bu kez tek bir "ben" olarak çıkabilirim. Kapı gıcırdayarak açılırken, soğuk bir nefes beni içine çekiyor.

İçerisi çok kalabalık. Geçmiş yıllarım odalara doluşmuş. 35 yıllık yaşamımın, 35 odası, kapıları yok. Bazı odalar birbirine bakıyor. Hayalet gibi odaların arasında dolaşıyorum. Her yıldan kalanlar. İlk oyuncaklarım, en güvendiğimin ilk kırıcı cümlesi, öğretmenimim elime vurduğu cetvel... Tamamı "pekiyi" ilkokul karnem, kazandığım ilk para, annemin yatmadan önce yüzünü boynuma gömüşü... Her yıldan iyi kötü öne çıkanlar, paketlenmiş duruyorlar. İlk aşkımın yanında pantolonumun yırtıldığı sahne başlı başına bir obje olmuş duruyor. Her yıldan, her bir şey kapının dışındaki yaşamımda herhangi bir tetikleyiciyle karşılaştığımda önce odasından, sonra kapıdan çıkıp hayatıma karışıyor. 35 oda, yaşamımda hazır olda bekliyor. Aslında 36'yı da onlar inşa ediyor.

Oda numarası küçüldükçe, objelerin üzerinde birikmiş toz da artıyor. Büyük sayılı odaların havası daha taze, daha yakın... Ne zaman yaşandılar, ne zaman geçip gitmişler... Bazılarını nasıl da unutmuşum... Lisede sevgilimi pizzacıya götürdüğümde parasını ödeyemediğim an parasızlığın ilişkide ne hissettirdiğini tattığım ilk an. Belki de bugün hâlâ paradan ya da parasızlıktan korkuyorum. Her şey, hepsi nasıl da birbirine bağlanıyor.

Kendi yaşamımın izlerinin arasında dolaşmak duyguların geçişini hızlandırıyor. Hüzün, sevinç, mutluluk, öfke, korku, suçluluk, gurur... Her bir odanın içinde ve hepsinin arasında gelgitler, semazenin dönüşünden daha ritmik, daha derin.

Gıcırdayarak açılan kapıyı kapatıp bugüne geldiğimde, kapının ardındakiler olmadan ben de yokum anlıyorum. Bugünkü ben her ne isem, bugün yaşadıklarım her ne ise, tamamını geçmişte var olanlara, yaşanmışlıklarıma borçluyum. İyi, kötü, güzel, çirkin, acı, mutlu her birinin, her yaşananın toplamı işte bugün bu odada bulunan beni yarattı. Geçmişin odalarında düzeltebileceğim, bulabileceğim bir şey yok. Sonuç değişmiyor. Olup, biten yenilenemiyor, üstüne üstlük yinelenebiliyor. Geçmişin izlerini silemem ama bugüne etkilerini değiştirebilirim. Bugünü geçmişten kopararak, bugünkü sorunlarımı çözerek geçmişimi kâbus olmaktan sadece "olmuş olana" dönüştürebilirim. Geçmişi suçlayarak, geçmişe sığınarak, geçmişi bugüne taşımaya çalışarak bugünü kurtaramayacağımı ben pek de erken öğrenmedim. Çok kavga ettim geçmişimle, çok suçladım gelip gidenleri ve hâlâ var olanları ama geçmiş değişmez. Bugün, geçmiş yok. Geçmişten bugüne benim taşıdıklarım ve taşınmasına izin verdiklerim var sadece.

Geçmiş ve gelecek illüzyonunu insan zihni yarattı ve yaratmaya devam ediyor. Her şey yanı zamanda yaşanıyor. Tüm yaşam, tüm yaşamın şu anda durduğun yerde. Bir dakika sonra ölebilir, âşık olabilir, bambaşka bir insana dönüşecek bir olayın aktörü olabilirsin. Yaşamımda şu andan başka bir şey yokken, biz ya çoktan yok olup giden geçmişte ya da daha hiç var olmamış gelecekte yaşamaya çalışıyoruz. Aslında yaşamıyoruz, yaşayamıyoruz. Sonra da yıllar geçip, gidiyor diye ağlıyoruz.

Bugünümü geçmişimle değerlendirdiğimde, geleceğim de geçmişime bağlanıyor. Bu yüzden yaşamımızda tekrarlanan durumlar, kısırdöngüler yineleniyor, her sabah düne uyanmaya devam ediyorum. Varoluşun şu anki senle ve geçmişinle sınırlı değil.

Geçmiş günün beklenmeyen anlarında hortluyor. Bir parfüm kokusu, yanından geçen mutlu bir aile, duyduğun bir şarkı, günün sonunda yılgın olduğun anlarda ya geçmişteki güzel anılar ya da bugününden sorulu tuttuğun travmalar su yüzüne çıkıyor. Bazen ailen, bazen dostlar, bazen sevgililer, eşler aklına düşüyor. Hele ki söylemek istediklerini söyleyemediklerin, öfkeni boşaltamadıkların, affedemediklerin daha güçlü olarak bugününe geliyor.

Renkli karelerle hatırladığımız onlarca anımız nereye gider de yerini siyah beyaz kareler alır? Renkli karelerdeki aile, sevgili, çocuklar siyah beyaz karelerle kaplanmaya başladığında hayat da siyah beyaza bürünüyor. Sonrasında en ufak bir renk umuda dönüşüyor, eskide kalmış renkli karelere kaçış başlıyor. Sevginin kırıntıları, bir küçük tebessüm bile renkli görünüyor soluk aldığın zamanda. Bir görünüp bir kayboluyorlar. O renkler de olmasa yaşamanın anlamı ne?

Siyah beyazın içinde her rengin peşinden koşmaya başlıyoruz. Güzel bir söz, bir iltifat, yeni bir fırsat, sonra yine hayal kırıklıkları olmaya başlıyor. Ne de olsa hâkim olan siyah beyaz... Renkler aldatıyor. Kareleri renklendirmek için bir neden, bir ışık ararken panikliyor, küsüyor, özgüvenimizi yitiriyor, yitmeye başlıyoruz.

Siyah beyaz karelerin arasında renkli noktalar aramakla yaşayamazsın, ruhunun, yüreğinin açlığını doyuramazsın. Bugünün siyah beyazları sana geleceği de siyah beyaz yaratır. Hayaller bile siyah beyaz olur. O yüzdendir her an sıfır kilometre deyip duruşum.

Gözlerime bak. Şu an tam gözlerinin içine bakıyorum. Nefesini hissediyorum. Seni çok iyi tanıyorum. Siyah beyaz kareleri renkli görmek, renkli göstermek için nasıl çırpındığını biliyorum. Kendini ispatlamak, geçmişin hıncını bugün kendinden çıkartmak zorunda değilsin. Seni kıranların intikamını kendini, bugünü kirleterek alamazsın. Bugün geçmişe vereceğin en iyi yanıt bugünkü sana sarılmak, bugün yüzünü aydınlığa dönüp içindeki kıvılcımları alevlendirmek. Geçmişe en iyi cevabı geleceğinde yarattıklarınla vereceksin. Bugüne kadar olan her şey varsın kaderin olsun, ya yarın sabah?

Çok acı çektim. Çok kızdım, canımı acıtmaya çalışanlardan çok canımı acıttım. Kendimi suçladım, şansıma küfrettim, Tanrı'ya sitem ettim. Elimden kayıp gidenlerin ardından bakakaldım. Yediğim kazıkların, yüzüme kaya gibi çarpan hatalarımın, çevremdekilerin açtığı yaraların faturasını dönüp dolaşıp kendime kestim. Duvarlarımı ördüm, kendimi yetersiz hissettim, ruhumun kanayan yaralarını gerçeğim sandım. Kullandığım örtü, hırs, öfke, güçlü görünmek, duygularımı yok saymak oldu. Rotamı şaşırdığımı, yolun sonuna gelene kadar anlamaktan kaçtım. Yine de şanslıydım ki, yolun sonundaki uçuruma yuvarlanmadan, son nefesi vermeden uyandım.

Her an sıfır kilometre. Geçmişe gömülerek, geçmişin odalarında soluk alarak hiçbir şeyi düzeltemezsin. Sonuç değişmez. Olan olmuştur ve zamanı geri saramazsın. Sonuçların etkileriyle oynayarak bugünü çözerek geçmişin izlerini temizleyebilir ve geçmişini renkli karelerle doldurmaya başlayabilirsin. Bunun için önce ayağa kalkmak, zaten çoktan yok olmuş olan geçmişi kabullenerek yoluna devam etmek tek yolumdu, senin de tek yolun. Geçmişin değil, bugünün senin ne olduğunu belirleyen. Geçmişin günahkârları, bugün azize; geçmişin kaybedenleri bugünün kazananlarına dönüşebilir, dönüşüyor da. Sen, geçmişin seninle gelmesine izin verdikçe o da seninle gelecek. Sen geçmişi bırakmadıkça, geçmiş seni hiç bırakmayacak.

Zorluk çevrendekilerin geçmişini sana unutturmamak, hatırlatmak için her şeyi yapıyor olması. Değiştim dersin inanmazlar, değişimi yansıtırsın "Sen bu değilsin ne oldu?" derler. Bir de bu saatten sonra geç derler. Neye göre geç, kime göre geç? Kalan zamanımızın ne kadar olduğunu kim biliyor ki?

Sana özel yaşananlarla tamamlanmış geçmişini bilmiyorum. Yüreğinin derinliklerinden çıkan hayallerinin ne olduğunu da bilmiyorum. Sadece şunu söylüyorum, sen şu anda sadece geçmişin yarattığı değilsin. Aynı anda geleceğin beklediğisin. Gelecek, senin seçimlerini bekliyor. Gelecek senin kararlarını bekliyor. Gelecek, geçmişine ya da çevrendekilere göre değil, senin için şekillenmeyi bekliyor.

Geleceğin de bir garantisi yok. Garanti isteyip kirletmeye de gerek yok. İyi, kötü, güzel, çirkin, acı, mutlu gelmeye devam edecek. Yeter ki niyetin belli olsun, yeter ki varacağın resim belli olsun. Er ya da geç o resim gerçek olur.

Şimdi gözlerini kapat, beni bir kenara koy. Hayal et ama gerçekten hayal et. Elinde sihirli bir fırça, geleceğin resmini çiz. Geçmişini, koşullarını bir kenara bırak... Kendi hayalini resmet. Korku ve suçluluk duygusu, yaşanmışlıkların ve şu anki koşulların kadar engel olmaya çalışacak hayal kurmana, hayalini kâğıda, resme, zihnine dökmene...

Ha bu arada zamansızlık diye bir şey de yok. Önceliklerimiz var. Bir şey gerçekten önceliğin olduğunda ona verdiğin zaman da var. Zaman da bir enerjidir, yeterli enerjin varsa ve yapmak için yeterli bir nedenin varsa yaparsın. Zaman da bir enerjidir ve yaşamında kullanımda olmayan her şey, sadece yer tutar, ağırlık yapar. Bir gün spiritüal konulara ağırlık vereceğimiz bir sohbette detaylandırırız.

Başarılı Olmak İçin Yaşıyoruz da Nereye Koşuyoruz?

"Sana gösterilen, önüne konan başarı değil, senin neyi başarı gördüğün tanımlar senin başarını..."

Bir "başarı" saplantısıdır gidiyor... "Başarı" sözcüğü ortalıkta Deli Dumrul dolanıyor. Okulda başarı, yatakta başarı, evlilikte başarı, yaşamda başarı... Kim belirliyor başarının kriterlerini? Neye göre, kime göre başarı?.. Tanımlamalardan kaçtıkça önüme çıkıyor tanımlamalar. Başarı da onlardan biri...

Kendime bakıyorum... Bazı şeylerde kendimce başarılı, bazılarında kendimce başarısızım. Bazı şeylerde ise çevrem tarafından başarılı ya da başarısızım. Ailemin nezdinde de başarılarım ve başarısızlıklarım var elbet. Demek ki benim için başarılı olan, ailemin gözünde başarısız olabilir. "Yılın En Başarılı İşadamı Ödülü" bile seçene ve seçim kriterlerine göre belirlenmiyor mu?

Çocukluğumdan başlayarak yaldızlı kalemlerle yazdığım bir başarı hayalim olmadı. Hayallerim vardı ama başarılı ya da başarısız tanımlamalarından bağımsızdı.

Hayalimi yaşıyorsam çok mu önemli başarılı ya da başarısız denilmesi diye düşünürdüm. Zaman zaman kaçıp gidesim gelirdi. Dağlarda dolaşmak, yaşamak... Eğer öyle yaşasaydım, alıp başımı gitseydim bu başarı mı olurdu, başarısızlık mı?

Yaşamım boyunca orta yolları, gri rengi sevmedim, sevemedim. Kendi yaşamının sürücü koltuğunda oturduğumu sanırken elime verilen haritaları takip etmek çok aptalca geliyor. Risk almadan, etliye sütlüye dokunmadan yaşarken, herkes tarafından sevildiğini sandığında (ilerleyen sayfalarda uzun uzun konuşacağız) mutlu olacaksın sanırsın. Oysa ne acın acıya, ne sevincin sevince benzer. Her şey yarım kalmış gibi, tatmini bulamadan, dibi göremeden, yaşamadan... Yavan lezzette, iz bırakmayan, silik bir varoluş... Sen neredesin? Çocukluğumu ne zaman yitirdim? Ne zaman yavaş yavaş geri çekilmeye başladım ve yorganın altında odayı gözleyen çocuk gibi yaşamı seyreder oldum?

Para, ün, şöhret, statü, güzel kadınlar, yakışıklı erkekler, ödüller... Bunlardan hangileri başarıyı simgeliyor? Sevgi, onur, huzur, sağlık, keyif, mutluluk... Bunları kaybettiğimde geriye başarı kalır mı?

Sürekli bir tekrarlayışla "hayatta başarılı olmak istiyorum" dediğim günleri hatırlıyorum. Döner dolaşır çevremdeki herkes de bana "başarılı bir insan olmak için" diye başladıkları cümlelere kendi başarı dileklerini eklerdi. Herkesin bir başarı tanımı vardı. Aslında çoğu benzeşiyordu. Ne ben ne de onlar, "başarılı bir hayat" tanımlamasını yaparken aslında ne söylediğimizi, neyi anlatmaya çalıştığımızı bilmiyorduk. Birileri, birilerine sürekli, hatta nesilden nesile aslında neyi aradıklarını ifade edemeden, aslında ne olduklarını bilmediği bir şeyi arıyorlardı. Bugün de arıyorlar.

Okulda başarı demek aldığın notlar demek. Bu kadar mı?

Kariyerde başarı demek ya kazandığın para ya da aldığın unvan demek. Bu kadar mı?

Evlilikte başarı demek, uzun yıllar az kavga gürültüyle boşanmadan kalabilmek demek. Bu kadar mı?

Yaşamda başarı dediğinde ise iyice karışıyor zihinler. Bu soruya cevap verilirken bile yürek emin değil. Ağızdan cümle çıkıyor sonra duyulmayan bir fısıltı herhalde budur diyor. Daha ileri gidiyor, ne olduğunu anlayamadığımız başarıya ulaşamayınca başarısız diyorlar, çok daha sertini biz kendimize diyoruz ve vazgeçiyoruz.

Ezbere dayalı konuları anlamsız bulan, öğretmeninin samimiyetine inanmayan bir öğrenci, notları düşük olduğunda başarısız oluyor. Sisteme inanmayan, çocukları yaşamla buluşturmak isteyen, müfredatla yetinmeyen bir öğretmen de başarısız oluyor. Kurumsal yaşama ayak uyduramayan, aslında kendi yaratıcılığını kendi özgürlük alanında ifade etmek isteyen insana da başarısız deniyor.

Öte yanda sorgusu sualsiz itaat eden çocuk başarılı oluyor. Sesini çıkarmayan akıllı, efendi oluyor. İzdivaç programlarında iki emekli maaşı ve evi olana başarılı deniliyor.

Başarı o kadar göreceli bir kavram ki... Başarılı bir hayatım oldu demek nasıl mümkün olur?

Düşünsene yaşamının son anlarında birisi diyor ki çok başarılı bir yaşamım oldu. Evlerim, otomobillerim, bol param, unvanlarım oldu.

Bir diğeri diyor ki; sayısız hayat kurtardım, dünyayı dolaşarak salgın hastalıklarla, açlıkla, fakirlikle mücadele ettim. Binlerce yaşama can kattım.

Bir başkası diyor ki: "Muhteşem bir ailem oldu. Harika bir anne, mükemmel bir eş oldum. Çocuklarımın mürüvvetini de gördüm."

Bir diğeri: "Yazdığım kitaplara, çektiğim filmlere zemin oluşturan tezlerimle düşünce tarihini değiştirerek gelecek nesillere iz bıraktım. Fizik dünyasının önündeki engelleri kaldırdım."

Son bir tane: "Çok şükür her yıl tarlamı ektim, hasadımı aldım. Aç kalmadık, açıkta olmadık. Şerefimle, namusumla yaşadım, hiçbirine leke sürdürmedim."

Bu oyunu uzatabiliriz. Sen de etrafına bakarak, hayran olduğun insanları düşünerek onların son sözlerinde kendi başarılarını nasıl tanımladıklarını hayal edebilirsin. Hangisi gerçek başarı?

Göstermeye çalıştığım şey nereden baktığına göre başarı da yeniden ve yeniden tanımlanıyor. Bunların hiçbiri beni ilgilendirmiyor. Benim için başarının iki bacaklı bir tanımı var.

Gerçekten taşıdıklarını yaşama geçiriyor musun? Sana bahsedileni dünyaya taşıyor musun? Gerçekten yaşayan sen misin yoksa yarattığın bir siluet mi? Benim için başarılı bir yaşam, seni yaşadığın yaşam. Bir başka ifadeyle, rekabete girmeden, kıyaslamadan, kendi kulvarında, kendi yolunda mükemmel denen tanımlanamayan bir başka olguyu değil, yapabileceğinin en iyisini yapman, yaşayabileceğinin en iyisini yaşamak. En iyi yaşam herkese göre değişir. Birileri de sürekli herkese aynı tanımı yaptırmaya çalışır. Sen de herkes gibi olamadığın, sana gösterileni yapamadığın için kendini yetersiz, beceriksiz, başarısız görürsün. Yavaş yavaş çocukluğunun ilk evrelerindeki özgüvenin silikleşmeye başlar, sesin kısılır, yapabildiğini sandığın şeyi yaparak yetinmeyi öğrenirsin. Ancaaaakkkk... Bir yanın hiç susmaz. Tatmin olmaz. İçindeki ses, sesini çıkarmasa da arada sırada seni dürter.

Yıllarca yarıştım. Teşekkür yetmedi, takdir almak istedim. Takdir alınca ailem de, arkadaşlarım da beni daha başarılı görüyorlardı. İkinci sıraya düşmeyi hiç sevmedim. Ne de olsa hep birinci olmalıydım. Bir şeyi becerememekten o kadar korktum ki, becerememe ihtimalim olmayan şeylere bulaşmadım. Bulaşmışsam da bir bahane bulup tez zamanda uzaklaştım, kaçtım. İlk sevişmemde bile bir iktidar savaşı, bir güç savaşı vardı. İçinde olduğum hiçbir şey de başarısız olma hakkım yokmuş gibi. Üstelik kendi başarı tanımım olmamış olmasına rağmen.

Arkadaşlarımı, dostlarımı kıskandım. Onların beni kıskandıklarına inandım, aslında bu inanmak istediğim şeydi kıskanılıyor olmak başarılı olmanın da bir ifadesiydi o zamanlar benim için. Aslında kıskançlık, sadece kendi yetersizlik hissimin kaçınılmaz üretimiydi.

Gençlik yıllarım bu şekilde yok olmaya giderken, yolculuğum değişti. Bugün yürümeye devam ettiğim yola girdikten sonra gerçekten sevmenin ne demek olduğunu gördüm. Bir çiçeğin açışında mucizeyi tanıdım. Gürültünün içinde kaybolmak yerine ötesindeki sessizliği keşfettim. Sonuçların değil, yolculuğun anlamını buldum. Sevişirken de her saniyenin, bütünleşmenin skordan ne kadar güçlü olduğunu yaşadım. Yaşamımın her anında kendi bahçemde olmanın huzurunu anladım.

Bugün bile ısrarla kıyaslamam bekleniyor. Her şeyi kıyaslamalıyım kimilerine göre. Başka ilişkilere bakarak ilişkimi, başkalarının yaptıklarına bakarak kendi yaptıklarımı, hemcinslerime bakarak nasıl göründüğümü etiketlemeliyim. Bazen adına moda, trent denenlerin peşi sıra sürüklenmezsem dışlanacağımı hissetmem bekleniyor. Milyonarca insan böylece yavaş yavaş kendinden uzaklaşıyor, kendinden vazgeçiyor.

Her birey evlenmek zorunda değil, her birimizin zengin olması da gerekmiyor. Her birimiz kendi yolculuğumuzdayız. Bu bedende tek bir yaşam hakkım olduğuna göre, onu nasıl yaşayacağıma karar verecek olan da benim. Bunu yapamadığımda, içindeki boşluğun hiç dolmadığı, yaşananların hep eksik kaldığı bir yaşamı yaratıyorum.

Beni farklı kılacak olan her neyse bende duruyor. Kendimi gerçekleştirmem, kendimi ortaya koymam ve inandıklarımın, benim farklılığımı ortaya koyacak olanın, dünyada değer yaratacak olanın peşinden gitmekse cesaret istiyor. Başarının dinamosu, ihtiyaç duyduğu kaynak "cesaret". Eleştirilmekten, dışlanmaktan o kadar çok korkuyoruz ki, ışıltılı yola geçemeden en yakındaki güvenli yola sapıyoruz ve kendimizi çıkmaz sokakta buluyoruz.

Kendi kulvarımda yürürken, yandaki kulvarlarla kendimi kıyaslamaktan vazgeçtiğimde ne komşunun tavuğu bana kaz gözükür ne de komşunun tavuğunun kaza dönüşmesinden rahatsızlık duyarım. Zaten mevcut düzen beni bu rekabete çekmeye ve kendimden vazgeçmemi sağlamaya yönelik hız kesmeden çalışıyor. Yan kulvardakinin satın alabildiği otomobili satın alamadığımda dahi kendimi eksik, yetersiz, başarısız görebiliyorum. İşte bu hepimizin içine düştüğü düşebileceği büyük tuzak.

Komşunun tavuğu her zaman bize kaz görünürken, bizim tavuk da başkalarına kaz görünüyor. Elimizdekilerin coşkusunu yaşamak yerine, önümüze konan sahte başarıların peşinde sürükleniyoruz. Para, statü, pahalı oyuncaklar ve diğerleri... Sadece bunları elde etmek için yaşamak, yaşamını yok etmek olur. Şan şöhret sabun köpüğü gibidir. Bugün seni el üstünde tutanlar yarın üzerinden geçip gidebilir. Senin gücüne gelenler, hiç ummadığın anda uzaklaşıp gider. Cenneti yaşarken cenneti bulmak için aranan, cehennemde yanarken cehenneme gitmekten korkan ne kadar çok insan var. Bu tuzağa düşme! Kendi hayatını, seni sen yapanları, inandıklarını, sana ait olan hayallerini gerçek sevenlerinle yaşamak gerçek başarıdır.

Biyografilere baktığımda başarılı olan insanların okuyanlara göre bedel diyeceği ne kadar ağır faturalar ödediklerini görüyorum. Umutsuzluk krizleri, dibe vurmalar, reddedilmeler, bazen toplumun dışına itilmeleri. Bazıları deli adledildi, bazıları içeri tıkıldı. Vazgeçmediler. Önlerine konan başarı kırıntıları, avuntu haplarına yüz vermediler. Ta ki, karanlığın içinden güneşe çıkana kadar. Sonunda kendilerini, kendi varoluşlarını gerçekleştirdiklerinde yürüdükleri yolun engebelerinin, çukurlarının, aldıkları yara berelerin de bir önemi kalmadı. Kaldı ki o yoldayken de sızlanmadılar, ağlanmadılar, varacakları yerin sıcaklığı onları ısıttı.

Bugün milyonlarca insan aslında hiç de aradıkları olmayan, kendilerini yansıtmayacak başarı hedeflerinin, suni ideallerin peşinde koşuyor. Bu koşuşturma mutsuz insanları, kendiyle ve çevresiyle barışık olmayan insanları yaratıyor.

Zaman zaman çok korkuyorum. Panikliyorum. Güvenli limanlar çekici geliyor. Sığındığım da oluyor. Ben de sen gibi, ya başarısız olursam, ya çevremdekileri hayal kırıklığına uğratırsam diye endişeleniyorum. Ancak artık çabuk geçiyor. Biliyorum ki, farkında olmasalar da çevremdekileri asıl hayal kırıklığına uğratacak olan kendimden vazgeçmem olacak.

Eğer sen kendi başarı tanımının peşinde koşarsan, birileri seni geri döndürmeye çalışacak. Belki de o birileri, kendi yapamadıklarını başkasının yapabilmesinden için için korkuyor olacak. Düşünsene bir kafesin içinde onlarca fare var. Kafesin kapısında elektrik olduğu için hiçbir zaman kapıya yaklaşmamışlar bile. Bir gün genç farelerden biri tüm ikazlara rağmen kapıya yürüyor ve ittiği gibi kapı açılıyor. Yıllarca elektriğe çarpılmaktan korkarak kafeste kalmayı seçen farelerin durumunu, hissettiklerini düşünebiliyor musun? İyisi mi kimse kapıya yürümesin, olur da kapıda elektrik yoksa kendimize duyacağımız kızgınlığı taşıyabilecek gücümüz yok.

Koşullarımız eşit değil. Eşit koşullarda dünyaya gelmiyoruz ama hepimiz bize özel kodlarla dünyaya geliyoruz. Aynı yapbozda olduğu gibi, her birimiz bir parçayız. Kendimizi gerçekleştirmek için dışarıdan gelecek mucizelere ihtiyacımız yok. İhtiyacımız olan tüm kaynak bizde içimizde. Her şey bir ve tek ise, her bir parça bütünün bir parçasıysa eğer ki öyle, unutma ki bütünün her bir parçası, bütünün bütün şifrelerini taşır. Bir masadan falçatayla alacağın bir parça, masanın tüm özelliklerini taşır. Sen de, ben de Tanrı'nın evrenin tüm şifrelerini taşıyoruz.

Başarı tanımın ikinci bacağı ise, hayallerinden vazgeçmeyerek senden beklenmeyeni gerçekleştirmek. Bir bakıyorsun bazı insanlar unvanlarından, rahatlarından vazgeçerek bambaşka mütevazı bir yaşama geçiyor. Oysa kimse onların, vazgeçebileceklerini düşünmüyordu. Dağda çobanlık yapan bir çocuk, iyi bir üniversiteyi kazanıyor, sonra profesör oluyor. Yalnız kalmaktan, karanlıktan korkan biri bir anda yalnız yaşamaya başlıyor. Bir anda onlardan beklenmeyeni yapmaya başlıyorlar. Aslında ellerine, kollarına bağlanmış prangaları kırarak hayallerini gerçek kılıyorlar. Hayalin küçüğü ya da büyüğü yok. Senin olan ya da olmayan var. Bugün çoğunluk koşullarına göre hayal kurmaya çalışıyor ki buna da hayal kurmak denmiyor.

Otobüsün camına başını dayadığında, arabanda kapıları kilitleyip müziği açtığında, vapurda denize daldığında, metronun gelmesini volta atarak beklerken bir gün olmasını dilediğin şey seni bekliyor.

Başarı dediğin, seni gerçekleştirmen, seni yaşama taşıman, bunun için de hayallerinden vazgeçmeden senden beklenmeyeni yapabilmenden başka bir şey değil.

Hayalindeki resimleri tuvale döken biri kazanması beklenen parayı kazanmadığında mutsuz olmaz. Çocukken maketten evler yapar, çiftlikler kurardım. Akranlarım dersini çalışsana ya da top oynamaya çıksana dediklerinde aslında gereksiz bir şeyle uğraştığımı sanıyorlardı. Oysa ben, bazen saatlerce uğraştığım kâğıttan bahçemi seyretmekten öyle bir haz alıyordum ki, dünyalar benim oluyordu.

Odama kapanıp, yazdığım küçük hikâyelerden bir dünya yaratıyor, o dünyanın içinde ağzım kulaklarıma varıyordu. Çevremdekiler benim için üzülüyordu. Onların gözünde ben çocukluğumu yaşayamıyordum, oysa dünyalar benim oluyordu.

Üniversitede istediğim bölümü kazandığımda, insanlar dalga geçtiler. Ne de olsa ben, iyi bir avukat, doktor olabilirdim. Hatta için için üzüldüğümü sanıyorlardı.

Oysa ben hayallerime bir adım daha atmanın huzurunu yaşıyordum. Yine de hissettiklerimi insanların da paylaşmasını istiyordum, takdir edilmeyi hak ettiğimi düşünüyor, bazen hayal kırıklığı yaşıyordum. Yavaş yavaş duyduklarımdan çok inandıklarımın hayatımı gerçek kıldığını anladım.

Yazmaya başladığımda, yazdıklarımı sözcüklere de döktüğümde ve iyi kazandığım bir iş yaşamını bıraktığımda "aç kalacaksın" dediler. Çok şükür yatağa aç girmiyorum. Üstelik huzur içinde mışıl mışıl uyuyorum.

Kim sana başarısız diyebilir ki? Sen inandıklarını yaşarken, hamurunu işlerken, gülümserken, huzurluyken, yüzünde renk varken kim sana başarısız diyebilir ki? Dese de ne olur ki? Başkalarının biçtiği kaftanı giymek için kendinden vazgeçenler arasında olmamaktan daha değerli ne olabilir ki? Bir de üzerine sevebilmeyi ve sevilebilmeyi koyduysan daha ne olsun.

Sen, sen olarak hikâyeni yazdığında benzeşmiyorsun, sıradanlaşmıyorsun, sürüdeki silik bir renk olmuyorsun. Çoğunluğun başarı dediğine koştuğunda başarılı olmuyorsun. Eğer seninle örtüşüyorsa sorun yok. O zaman da birçok insanın yapabildiğini, yine sen olarak kendi rengini katarak gerçekleştiriyorsun. İşte anahtar burada. Sevdiğin işi yapmaktan, gerçek bir ilişkiyi yaşamaya kadar her şeyin temelindeki anahtar burada. Kendi başarı tanımını koyman ve ondan vazgeçmeden üzerine gitmen. Sen, o zaman değerli, o zaman özel, o zaman çok daha güzelsin.

Cenaze törenine isteyerek katılanlar, unvanlarından, sahip olduklarından önce onlara neler hissettirdiğini yaşıyor, konuşuyor olacaklar. Sen ise, yeni yatağında yatarken, soluk aldıkça seni yaşayabildiğin için huzurla gülümseyeceksin.

Şimdi bir iki dakika bırak her ne yapıyorsan... Sesini kıs her şeyin, duyma. Bırak dursun zaman dursun her şey; bir iki dakika sonra yine karışacaksın zaten olan, olmayan her şeye. Her neredeysen tam karşında duruyorum. Tamamen benimle ol. Gözlerime bak. Konuşmayacağım. Sadece gözlerimiz konuşuyor. Bu sabah da gün başladı. Biliyorum. Kötü, güvensiz, çaresiz, kıskanç, hırslı, soğuk, korkak, yorgun, kırgın, hiçbiri değilsin, hiçbiri yok şu anda. Düşünme sadece gözlerime bak. Belki nemlenen, belki ağırlaşan gözlerinde, tam şu anda sadece seni görüyorum. İşte ben şu an gördüğüme inanıyorum, güveniyorum, seviyorum. Birazdan gideceğim, sen gibi kalabalığa, günlük hayata karışacağım. Seninle şu anda paylaştığım, tek gerçek umudum, tek gerçek mutluluk kaynağım. Gözlerinde şu an parıldayan ışığı yine perdeleyecek bugün yaşayacakların. Ancak, biliyorum ki o perdenin arkasında sen varsın. Şu anda gördüğüm sen...

Bugün de para için savaşılacak, duygular zedelenecek, etiketlerin ardında sokaklar selamsız yürünecek. Belki sen de bugün birinin gözlerindeki perdeyi aralarsın. En derinde yok birbirimizden farkımız. Sana sımsıkı sarılıyorum ve gidiyorum. Her neredeysen her şey yeniden akmaya başlasın. Arada bir bu anı hatırla. Ben hatırlayacağım ve varlığın bana güç verecek. Seni seviyorum. Seni, sen olarak seviyorum. Mademki sevgi diyoruz, o zaman şimdi aşkı ve sevgiyi konuşalım.

Aşk Her Şey, Her Şey Aşk Ama...

"Boşlukta kendime bir salıncak yaratırım. Kendimi bırakırım salıncağıma, götürür beni bilmediğim diyarlara... Çöllerden geçerim, ağlayan çocukların kıyısından, üzerindeki adamın nefesini gözyaşlarına katan fahişelerin odalarından, suyun kenarında oturup uzaklarda hayallerini görmeye çalışan yaralı yüreklerden, bedeni ölü özgür ruhların dünyasından, bedeni canlı tutsak ruhların âlemine... Boşluk her şeyi taşır, her şey 'hiç' olabildiğinden boşluk sanırsın.

Salıncak durmaz, 7 âlem ayakların altında, ilk insandan robotlar dünyasına, savaşlar, peygamberler, önderler, keşifler... Her şey önünde uzanır. Sonra salıncak havalanır ve faniliği görürsün... Her şey gelir ve gider. Her şey şu anda yaşanır. Tüm şifreler yüreğinde yazılı anlarsın.

Rahat koltuğuna oturup filmini izleyen adamın seyrettiği filmde yol alırsın. Dışarısı sandığın dünya senin içindeymiş şaşarsın... Her şey boşlukta yerini alır. Her eylem döngüsel, dönersin âlemin ruhunda...

Sen her şeye karışırsın. Her bir şey sen ve sen her bir şey. Yeknesak.

İşte aşk budur... Tek ve bir... Her şeyin kaynağı ve yaratıcısı..."

Aşk her şey... Şiirler, kitaplar, sayısız sanat eserine konu olan aşk, bireye indirgenmiş aşk. Benim için aşk her şey. Her soluk, yaşamın kendisi, yaradılışın hammaddesi... Aşkla yaşayarak, suyu aşkla içebilir, bu satırları aşkla yazabilir, dokunduğum her şeye aşkı taşıyabilirim. Aşk her yerdeyken, aşkla yaşamayı seçebilirim.

Aşka âşık ruhlar, aşksız soluk alamaz. Aşksız varoluş = yok oluş... Her solukta, güneşin her doğuşunda, gözün gördüklerinin ötesinde, her anında, aşkla... Sanma ki kurallarla sınırlarız aşkı, bedene indirger, günah belleriz... Sanma ki sonunu hesaplar, aşktan korkar, kaçarız. Sanma ki aşkın ateşinde kül olmaktan korkarız. Her aşkta yeniden doğar, sarhoşluğunda çiçeğe, havaya, suya, Yaradan'ın her bir zerresine nefes oluruz. Ondandır ki ben seni sensiz de yaşar, dokunmadan sevişir, sana bakmadan seni her şeyinle görürüm. Bilirim vuslatın sınırlarının olduğu yerde aşk arka kapıdan çıkar gider. Aşka âşık ruhlar, aşkla üretir, aşkla soluk alır, aşkla yaşama dokunur, inadına aşka sarılır, aşkla sevgişiriz...

Bana sakın aşk yok deme... Aşk insana fazla gelir, birleşince aşk uçar gider, tükenendir de deme... Aşksız yaşanmaz, aşk her şeydir bilirim. Aşk olmadan aldığın soluk yavan, sıradan... Belki de sadece aşka âşık bir garip olurum kim bilir... Ne önemi var. Senin mantık, akıl dolu ilişkinde ben yokum. Ben fırtınaların, dalgaların, rüzgârların arasında aşkla savrulmayı seçenim. Anlamıyorsun? Benim aradığım mutlu, mesut olmak değil aşkı yaşamak. Yitip gitsem de amansız ateşinde çok daha iyi gelir sığ denizlerde yaşamaktan. Mutlu aşk yokmuş umurumda mı sanıyorsun. Aşkın ritmi, titreşimi, soluğumu kesen enerjisi... Karşılıksız kaldığında aşk, aşk olmaz mı sanıyorsun? Ben aşka, olduğu gibi âşığım. Her şey olana, her şeyiyle âşığım.

Güneş batarken yüksek bir yere çık ve bakabildiğin kadar uzağa bak... Kulaklarını kapa, içindeki şarkı her neyse o çalsın sadece yüreğinde... Hisset... Aşk her yerde... Kalbinin her atışında, damarlarında akan kanda, soluduğun havada, içtiğin suda, dokunduğun her şeyde... Bunu yanı başındaki, omzundaki insana taşıyabilirsen hayalindeki dünyevi aşkı yaşarsın... Ne kural kalır, ne sembol, ne şablon... Cümleler, kelimeler, nesneler, kimlikler yok olur. Boyu bosu, rengi, dili, eğitimi, zenginliği, "o"su "bu"su kalmaz ki... Bir bak etrafına bugün aşktan söz edenler nelere bakıyor, neleri konuşuyor. Sonra da aşk acısı çekiyorlar. Sadece kendi yoksunluklarına ağlıyorlar.

Hem sadece insana mıdır aşk? Bitkinin, rüzgârın, idealar dünyasının yarattığı her bir nesnenin, her bir varoluşun aşk enerjisi var. Aşk, dokunduğun yaprakta, altında uzandığın çınar ağacında, peynirine gelen serçede, doğanın her bir zerresinde var.

Benim için aşk, yaşamın özü, kendisi... Anlamak, yaşamak ve hakkını vermek için ötesine geçmek gerek gözün gördüklerinin, kulağın işittiklerinin... Her şeyden önce aşk vardı. Benim için yaradan, başlangıç aşktı. Aşkla yaratıldı her şey. Aşk, hava oldu, su oldu; can buldu insan oldu, kuş oldu, balık oldu... Tohumları ağaç oldu.

Hurafelerin, kalıpların, klişelerin, yüksek yüksek örülmüş duvarların dünyasında aşk yavaş yavaş uzaklaşıyor yüreklerden. Aşk çekildikçe, her şey yitiyor; kayboluyor.

Bugün ne ifade ediyor aşk? Nasıl boşaltıldı içi... Heyecan, heves aşk sanılır oldu. Sonra da sözde aşklar çabuk biter oldu. Sanırsın ki her kalbin attığında âşık olmuşsun... Bu kadar kolay mıdır aşkı bulmak? Bu kadar kolay mıdır âşık olmak? O zaman nice ozanlar, şairler, filozoflar ne diye yitip gitti?

Sonsuz aşk tek gerçek, geriye kalan her şey bir illüzyon, bir yanılsama. Onu bulmak için başarılı, zengin, güzel olmayı araç sanacak kadar kayboluyoruz. Gerçek olan bir tek, sen ve ben arasında paylaştıklarımız. Bunun için araçlara, kurallara, stratejilere ihtiyacımız yok. Sen de en az benim kadar aşkı hissetmeyi istiyorsun. İnsanız ve bu bizim tek gerçeğimiz. Sadece yanlış yerde ve şeylerde arıyoruz. İkimiz de bunun farkına vardığımızda o zaman aradığımızı buluyoruz.

"Kavuşmanın olduğu yerde aşk var mıdır?" diye sorarım kendime. Leyla ile Mecnun, Ferhat ile Şirin... Bir gün yanımda olmayabileceğini düşünmek beni korkutmuyor, şu anda seninle olmanın değerini ve yoğunluğunu artırıyor. Öte yanda yıllarca süren beraberliklerde, örnek çiftlerde aşkın farklı boyutları var. Aşk tek bir doğru değil. Tanımlayamazsın aşkı. Tanımladığın yerde aşk yoktur. Tek bir yerde tek bir aşk yoktur. İnsana indirgediğin aşk, ilahi aşk, yaşamın kendisindeki aşk, aşk her şeyin harcı... Tek bir aşk asla yetmez. İnsana aşkta, tek bir aşk evet, ama aşk yaşamın her anı, her yanı... Bunu unuttuğunda insanda yaşadığın aşkı da kaybeder, sevgili de eş de yalan olur.

OSHO'nun Halil Cibran'dan esinlenmiş şu cümleleri de aynı şeyi vurguluyor: Kendini sev... Birbirinizi sevin ama aşktan bağlar üretmeyin. Aşk bir armağan olmalı, ama bedeli olmamalı... Aşk, beklentisiz yaşandığında aşk. O yüzden diyorum ki, kavuşamasan da âşık olabilir, aşkı yaşayabilirsiniz.

Aşk da mutluluk gibi... Dışarıda bulamazsın sen büyütür ve gideceğin yere götürürsün. Âşık olmak için beyaz atlı prensi, pamuk prensesi bekleme; sen başla... Aşk ateşinde bedenler yok. Dokunduğunda ete değil, ötesine dokunursun. Dudaklar bir olur, bedenler tek olur, yürek beraber çarpar. Eşyalar yok olur. Zaman ve mekân kaybolur. Aşkın ritminde, beden ruha ruh özüne kavuşur. İlahi aşk yoktur, aşk başlı başına ilahi olandır. Aşkı günah sayanlar, aşk ateşinde yanana kâfir diyenler yer bulamazlar Yaradan'ın yanında...

Terasta yere uzanmış yazıyorum sana... İki mum yanı başımda ışık oluyor karanlığa... Yıldızlar bulutların ardında... Kahvem dizimin dibinde... Köpeklerim karşımda uyukluyor. Arada bir dişi olanı kalkıp çıplak ayaklarıma sürtünüp geri gidiyor. Tatlı bir esinti var. Belki de senin yüreğindeki taşıyor bana... Benden alıp bir başka tene konacak birazdan da... Seni bilmiyor, tanımıyorum. Belki de çok iyi tanışığız. Şu anda aynı gök kubbenin altında bir yerlerdeyiz. Evrende her şeyin bir yeri ve nedeni var. Hiçbir şey boşuna yaratılmadı, boşuna yaşanmadı.

Yaslan arkana, gözlerini kapat. Sana bence bir bedene âşık olmayı anlatacağım. Sadece yüreğim, ruhum konuşacak. Şu anda ağzımdan, satırlarımdan ne dökülüyorsa olduğu gibi sana ulaşacak.

Her şeyin başlangıcı ve yaradılışı aşk, bir insandan bir insana akmıyor ki. İkisi zaten aşk. Birbirini buluyor yüreği aynı frekansta atanlar. Tek beden, tek yürek, tek ruh. Aşk böyle yaşanıyor. Güne döküldüğünde kirleniyor.

Âşık olduğumda, sözcükleri bir araya getiremiyorum, birbirleriyle buluşturamıyorum. Gerek de yok. Yanıma geldiğinde çocuklaşıyorum. Tüm maskeler yerle bir olduğundan mıdır, çocukluğumuzda olduğumuz gibi aşk bizi en saf halimize dönüştürdüğünden midir bilmiyorum. Âşık olduğumun yanında susmak konuşmaktan daha anlamlı... Anlatman gereken, duyman gereken bir şey yok. Saatlerce, günlerce gözlerine bakmak isterim. Bir o kadar gözlerimi kapatıp, kokusunu içime çekmek. Bedenlerimiz yan yana olmadığında da onu ruhumda hissediyorum. Ensemdeki tatlı ürpertide, yüreğimdeki gelgitlerde... Âşık olduğum insandan hiçbir şey beklemiyorum. Varlığı yetiyor. Benim olmasına gerek yok. Her şey zaten aşk iken, onun varlığı aşkı, her şeyi daha da güçlendiriyor. Sabah yüzüme vurduğum soğuk suda, gece başımı koyduğum tombik yastıkta, bana kahvemi getiren garsonun gözlerinde...

Yüreğimde başlayan heyecan bütün bedenime yayılıyor âşık olduğum kadın aklıma düştüğü anda. Aslında o her şeyin, zihnimin tüm hareketlerimin düşüncelerimin tüm titreşimlerinin zemininde serili. Her şey, rengini, kokusunu, tadını zeminden alıyor, ondan alıyor.

Yaptığım her şeye onun kokusu, teni, yüzü, sıcaklığı bulaşıyor.

Saatin tik taklarında, kalbimin ritmini hissediyorum. Her bir çarpışını, her soluk alışımı... Müziğin ritminde yavaş yavaş odaya karışıyorum, odamdan taşıyorum, sokaklara, gökyüzüne, her bir yaşayana, var olana karışıyorum... Her şeyin bir ve tek olduğu boşlukta seni buluyorum, sana karışıyorum, sen oluyorum. Kalbimin ritmine senin ritmin katılıyor. Seninle soluk alıyor, seninle savruluyorum. Her şeyin üzerinde, her şeyin ötesinde seninle kayboluyorum.

Yalnız kaldığımda odama geliyor, masamın üzerine yerleşiyor, kanepeye geçiyor, halıda oturup bana bakıyor. Peri gibi, bedensiz benimle var oluyor. Yatağa girdiğimde, sırt üstü kollarımı açıp ona dönüyorum yüzümü... Aşk beklentisizdir biliyorum ama ben de teslim oluyorum. Dünyeviliğime yeniliyor, dünyaya iniyorum. Sınırsızca onu arzuluyorum. Sarılmayı, koklamayı, gözlerine bakmayı, boynuna gömülüp uykuya dalmayı... Yanından ayrılmadan özlediğim kadına dönüşüyor. Ondan gelen her mesaj, telefonumun her titreyişi yaşamın akışındaki diğer her şeyi devre dışı bırakıyor.

İlk dokunuş, ilk sarılış, ilk öpüşme, teninde ilk kayboluş...

İlk yaşananların ardından, ilk sorular, ilk endişeler,

ilk beklentiler de yeşermeye başlıyor. Belki de o yüzden bazen kaçıyor insan ilkleri yaşamaktan, melankoliden gerçeğe geçmekten. Sen mi benim için tehlikelisin ben mi senin için? Tehlikenin adını beraber koyalım. Kaybolur muyuz birbirimizin içinde, kokusunda, yok olur gider mi yüreğimin kuytusunda biriktirdiklerim. Sonunda acı mı çekeriz? Neyin garantisi var ki yarınımızın olsun... Yarından korkup bugünü yaşamamak marifet mi?

Dünyeviliğin yükü artar ve artık onu avuçlarımın arasında, yanı başımda, benim aşkım olarak bilmek isterim. Biliyorum herkes gidiyor, her gidiş çok acıtıyor. Korkmuyorum âşık olmaktan. Korkmuyorum senin derinliğinde, yollarında kaybolurken ıslanmaktan, üşümekten... Sen sadece kapını aç ben yerimi bulurum. Yaralarına merhem olur, yüreğinin tarlalarına çiçeklerimizi ekerim. Bir kelebeğe dönüşür, ensenden omzuna kanat çırparım. Boynunda uyur, dudaklarının kenarında gözlerini güneşin ilk ışıklarına açmanı beklerim. Korkum senden ve senin getireceklerinden değil, sensizlikte kaybolmaktan... Gittiğinde yaşayacağım acı, hiç gelmemenden daha çok değil oysa.

Bu aşk, sahip olma arzusu, beklentiler, kurallar karışmaya başladığında tükenmeye de başlıyor. İşte o zaman kaybetmeye başlıyorum, başlıyoruz. Boyut değişiyor, sevgiye dönüşüyor. Benim için sevgi ile aşk arasındaki farkı birazdan anlatacağım. Aşka, suyu bir kaba doldurmak gibi, şekil vermeye başlandığında aşk kanatlanıyor ve gidiyor. Nice aşklar, âşıklar böyle tükeniyor, kayboluyor. İnsana aşkı, aşklarımı anlatmak yazarken de zorluyor... Anlatamam ki sana... Bakıyorum da anlatmaya çalıştıkça kayboluyor, ellerimden kaçıp gidiyor. Cümlelere dökmeye çalıştıkça, haylaz bir kız gibi sıvışıp gidiyor.

Kuralı, şartın olduğu yerde aşk var olamaz. Aşk, güne karışamaz, dünyada ayakların altına inemez. Aşk, adı anıldığında bile rahatsız olur. Aşk her şeyken, bir şey olmaya dayanamaz.

Bir ilişki bedenler birleşmeden, cinsellik olmadan yaşanamıyor; aşk buna ihtiyaç duymuyor. Belki bu yazdıklarım seni şaşırtıyor. Hep dediğim gibi, aşk insana birkaç beden büyük geliyor. En azından benim için böyle...

Bir aşkı yitirmekten daha acı olanı aşktan vazgeçmek. Aşkta yaşadığın hayal kırıklıklarının da bir nedeni vardı elbet. Geçmişin geçti gitti. Taşıma artık bugüne. Kapatma kapılarını aşka, yüreğindeki ateşi söndürme. Aşktan vazgeçme. Vazgeçtiğin gün, yaşamaktan vazgeçtiğin gündür derim sana...

Bırak anlamasınlar seni, bırak alamasınlar verdiğini; bırak hoyratlıklarına, yoksunluklarına yenik düşsünler. Aşktan kopanların yarattığı dünyayı görüyoruz. Aşktan kaçanların haline aşk bile şaşkınlıkla bakıyor ama sabırla bekliyor: Bir gün benliğine karışacakları günün gelmesini. En azından son nefeste hatırlayacaklar aşkı...

Sen ise, inadına aşkı yaşat, inadına âşık hallerini dağıt etrafına. Aşk saç dört bir yanına... Bırak gözlerinde, gülüşünde, her adımında, dokunuşunda aşk taşsın bedeninden, ruhundan... Koşullardan, kurallardan kurtar onu... İşte böyle yaşanır aşk... Kendinle barışmadan, kendini sevmeden, kendinle tanışmadan yaşayamazsın aşkı... Aşka yer açamazsın sen tıka basa doluyken... Aşk adı altında bir sürü yansıma doldurursun hayatına...

Ben, suyla, rüzgârla, boşlukta ulaşırım sana. Şu an kendimi gök kubbenin altında gecenin koynuna bırakıp gözlerimi kapatıyorum. Sadece aşk fısıldıyorum kulağına... Hisset... Sen hissedersen biliyorum ben de şu an nerede olursam olayım hissederim. Biz hissettikçe aşk büyür, belki de ulaşır aşktan bir haber ruhlara...

Aşkı aramaktan vazgeç. Şu anda yaşamaya, başla. Hisset. Her şeye taşıdığın aşk, aşk yaşayacağın insanı da getirecek sana. Sen aşkla dol ki, aşka susayan kaynağına gelebilsin. Aşkın biriyle sana gelmesini bekleme sen götür. Aşkı tanımlamaya çalışma, anlatmaya cümlelere dökmeye zorlama. Yaşadığın haliyle var olsun aşk.

Bil ki, kurallar, şablonlar, semboller aşkta olmaz. Eğer artık bunlar varsa yaşadığın ve içinde olduğun şey aşk değil.

Hormonların çalışmasını, heyecanı, hevesi, sevginin hallerini aşk sanmaktan vazgeçmedikçe aşkla alakası olmayana aşk demeye devam ediyoruz. Birine âşık olmak ya da birini kendine âşık etmek için çabalama... Aşk geldiyse varoluş nedeni bunların çok ötesinde... Gelişini ya da gidişini hiçbir şey durduramaz.

Evrendeki her şeyin aşk enerjisi var. Görmeyi, koklamayı, dokunmayı ve aşkı hissetmeyi deneyimle. Gözlerini kapat ve soluğunu hisset.

Her şey aşk... Hisset.

Bir yanım mutlu, bir yanım hüzünlü. Tanrım şu an ne kadar çok ruh sıkışmış, yalnız ve acı çekiyor. Kadınlar tecavüze uğruyor, gençler ölüyor, çocuklar korkuyor. Sözüm ona rahatta olanlar da kısırdöngülerin içinde kayboluyor. Dağın başında pusuda donan genç adam, masasının başında bilgisayar ekranında kaybolan yalnız kadın, sokakta taştan kaleler kuran çocuk, plazalarda, sokaklarda, arazide, çölde, dünyanın dört bir yanında her bir karesinde kaybolan ruhlar. İnancı, soyağacı yüzünden milyonlarca insan hâlâ acı çekiyor. Namus hâlâ kıyafette, cinsellik hâlâ skor yarışında. Bu mu medeniyet? Bu mu yeni dünya? Ben başa dönmek istiyorum eğer buysa medeniyet. Ortak dil mutsuzluk, ortak dil korku. İşte tam bu anda her şey bir ve tek ise seninle kayboluyorum. Dudakların, kokun, tenin, her bir atışını soluğumda hissettiğim aşk dolu yüreğin. Senin kanatlarında huzur buluyorum. Çöldeki vahamda cenin pozisyonuma bürünüp gözlerimi kapatıyorum. İbadetim aşk.

Temel Açlığımız: Sevgi

Aşkla sevgi arasındaki fark: Bir çiçeğe bakarsın, onu hayranlıkla izlersin, çiçek açar, büyür, gelişir, ölmeye başlar, ölür, yeniden doğar. Sen onu hayranlıkla izlemeye devam edersin. Kokusunu içine çekersin. Buna aşk diyelim.

Çiçeğin suyunu verirsin yapraklarını budarsın vitaminlerini koyarsın, ona şarkılar dinletirsin, daha fazla çiçek açmasını beklerisin, sana daha fazlasını sunmasını istersin. Bu da sevgidir. Sevgi emek ister, sevgi özen ister...

Ne sen ne de ben, ne peygamberiz ne de ermiş... Bu satırları anlamak zor gelir o yüzden bize...

Korkunun barınamadığı, korkunun karşısında yaşayamadığı tek şey sevgidir. Sevgi bedenle bütünleşerek var olur, aşkın tersine... Sevgi tek gerçektir. Sen sevgisin, ben sevgiyim, sevgisiz var olabilecek hiç bir şey tanımıyorum. Sevgi sınırsızdır. Başı ve sonu olamayacağı gibi, ne zaman bitti diye de soramazsın. Ya vardır ve hep kalır ya da yoktur. Sevginin bitmesi için ölmen gerekir. Ya da tutsak olmak. Bugün ben sevmiyorum, sevgiden uzağım diyen herkes tutsaktır.

Sen başkalarını sevebildiğin kadar başkalarının sevgisini hissedebilirsin. Çevrendekilerin seni ne kadar sevdiği, aslında senin onları ne kadar sevdiğindir. Sevgi karşındakini özgür bırakmaktır. Biz elimizde olsa çivilerle, iplerle sabitleyecek, sadece beni yalnızca beni sev diyeceğiz.

Bugün gökdelenlerin ortasında, otomobillerin içinde, modern şehirlerin sokaklarında, sanal dünyanın gerçekliğinde sevgi dileniyoruz. Sevginin kırıntılarıyla doymaya razıyız. İnsan olmaktan uzaklaşıyoruz, sevgiden uzaklaştıkça.

Emin olarak, kriterlere uydurarak verilecek şey değil ki sevgi. Sevmek için neden gerekir mi? Şu anda benim seni sevememem, sevmemem için bana ne diyeceksin? Bu kadar mı güvenmiyorsun? Bu kadar mı sevilmeye değer görmüyorsun kendini? Sen şu anda bu satırları okurken ben de bir yerlerdeyim, ikimiz de aynı gökyüzünün altındayız. Seni sevmem için tanımam gerekmiyor. Kim olduğunu bilmem, beni sevip sevmeyeceğinden emin olmam da gerekmiyor.

"Onu seviyorum, çünkü..." dediğimiz anda sevgi yalana dönüşüyor. Sevmek için nedenler yaratıyoruz, sevgimizi vermeden önce emin olmak istiyoruz hayal kırıklığına uğramamak için. Sevgiyi vermeden, sevmeyi öğrenmeden gerçekten sevilemeyeceğimi ben çok geç öğrenmişim geçen yıllarıma baktığımda.

Sevgi özgürlüktür, sevgi çevrende gördüğün her şeyin enerji kaynağıdır. Sevgi sınırsız olduğunda gerçek özgürlüğü bulursun. İnsan sürekli sevmek ve sevilmek için yaşar, gelişir, değişir; sonra bunu unutur. Sevginin sınırsız olmasını ve bunu özgürce haykırmayı dilersin. Anne, çocuk, sevgili, koca her sevgide bu sonsuzluğu ve sınırsızlığı ararız. Yani gerçekten sevmeyi ve sevilmeyi Haykıra haykıra bağırabilmek, her bir hücremin derinliklerinde yaşayabilmek için.

Severken korkuyoruz kırılmaktan, korkuyoruz aptal durumuna düşmekten, aldatılmış olmaktan. Mutlaka bir gün çırılçıplak kaldık yüreğimizle ve çok fena yara aldık. Bazılarımız kendimizi sevmekten öteye geçemedik. Bazılarımız da kendimizi bile sevemedik.

Seninle saatlerce inatlaşırım eğer karşı çıkarsan ki; sen de en az herkes kadar, en az benim kadar sevgiyi bulmak için yaşıyorsun. Onu bulmak, hissetmek ve yaşamına taşımak için... Karşı çıkarsan gözlerine bakarım seni anlamak, ne zaman ne kadar sert kırıldığını görebilmek adına... Belki bebekken, belki çocukken, belki birkaç yıl önce... Belki annen, belki baban, belki ilk aşkın, belki hayatının sevdası... Birisi, birileri seni öyle küstürmüştür, öyle ağır kırmış ve yıpratmış ki, hafıza kaybı gibi yüreğin sevgiyi unutmuş olsun.

Biliyorum, bir şeyler eksik kaldı. Belki yeterince sevilmedin, belki istenmeyen çocuktun, belki en küçük kardeştin, belki küçükken çok şişman kendini çirkin bulan bir çocuktun. Yaşamının bir yerlerinde karşılıksız kaldığını hissettin, kullanıldığını, suiistimal edildiğini. Bazılarımız yaşadıkları travmalarla, bazılarımız yeterli sevgiyi hiç tadamadığı için kendi kalıplarını yaratıyor.

Bazıları yüksek yüksek granitten duvarlar örüyor çevresine, duvarların arkasında sevgisiz ayakta kalabilmeyi öğreniyor. Aslında yaşamaktan vazgeçiyor. Bazıları sevilmek için kendinden vazgeçiyor. Sevilmek için verebileceğinden fazlasını veriyor, kendini yok sayıyor, ateşe atılan odun gibi, karşısındakinin sevgisini kaybetmemek için neyi varsa veriyor. Aslında kendini yok ediyor.

Zengin, ünlü, başarılı olmak neden bu kadar önemli bugün? Sevgiyi, ilgiyi bize getireceklerini sandığımız için. İçimizde büyüyen yalnızlığın, dünyaya açtığımız savaşın, yorgunluğumuzun temeli, sevgisizliğin büyük boşluğundan başka bir şey değil. Bugün yeni nesillere sevgi diye anlattığımız şey sevgiden çok uzak. Yaşadığımızı sandığımız şey de...

Sanıyoruz ki başarılı olduğumuzda, insanların istediği gibi davrandığımızda, istedikleri şekle girdiğimizde, güçlü olduğumuzda daha değerli olacağız, daha çok sevileceğiz. Bu yüzden işlerimizde, hedeflerimizde kaybolurken, diğer yanda sevdiklerimizi kaybediyoruz. Bunlar için bizi sevdiğini sandıklarımız da sabun köpüğünden öteye geçemiyor. Ürettiklerimiz, onlara verdiklerimiz bittiğinde onların sevgileri de bitiyor. Seni gerçekten sen olduğun için sevenler gerçek sevenlerin. Peki sen kaç kişiyi sadece olduğu haliyle gerçekten sevebiliyorsun? Gerçek sevgi özgürdür. Görev için sevemezsin, söz verdiğin için sevemezsin, istediğin gibi olduğu için sevemezsin sadece sevdiğin için seversin. Seni seven de sadece sevdiği için seni sever. Senin ona vermeye çalıştıkların, verdiğin şeyler için değil. Sende kendi için bulduğu şeylerle sever.

Hiçbir zaman iki kişiye aynı sevgiyi gösteremezsin. Her sevgi özgündür, kendine münhasırdır. Biri diğerinden daha özel ya da güçlü değildir. Birine gösterdiğin sevginin aynısını bir başkasına gösteremezsin. İki çocuğunu da aynı şekilde sevemezsin. Tüm sevgini bir alıcıya aktaramazsın.

Seven insan, sevdiğini değiştirmeye çalışmaz, değişmesini beklemez. Çiçek örneğinde olduğu gibi, onu besler, ona kaynak olur ama onu şekillendirmeye, farklılaştırmaya çalışmaz. Öyle olursa karşısındaki varlığı değil, kendi yarattığını sevmeye çalışır. Bugün sayısız evlilikte, ilişkide, arkadaşlıkta olduğu gibi.

Son zamanlarda bana diyorlar ki sevgi seni şımartmasın, ne olur değişme... Haksız değil insanlar o kadar çok benzer durumları yaşamışlar ki. Ben de diyorum ki, niye değişeyim? Ben yıllar önce aydım, hem de kafamı, gözümü yara yara. Sahip oldukların üzerinden sevgi dilenmek, karşındakinin istediği rollere bürünmek, egonun kurduğu tuzaklarda suni sevgiyi gerçek sevgiye tercih etmek. Sen bir yerde sen olarak durursun Sen olarak taşıdığın sevginin titreşimleri yayarsın. Sana sen için gelenler, sevgini paylaşanlarla gerçek sevgiyi paylaşırsın. Yaşamımızda bizi gerçekten sevenlerle, verdiklerimiz için sevenlerin arasındaki illüzyonda kayboluyoruz. Bugün yüz binlerce kişi de olsa "hayran" kitleleri çoğu zaman sabun köpüğüne dönüşür. Hayran olduğunu, olduğu gibi değil, görmek istediği gibi görüp yarattığı varlığı sever. Sonra bir gün, hayran olduğu kişi ile kendi dünya görüşü, beklentileri çalıştığı anda hayran olacak başka bir şey gerekir artık. Ben, beni ben olduğum için sevenlerle sevgiyi paylaşıyorum. Senin de yaşamanı umduğum gibi. Seni sen olduğun için sevenler; seni olmanı istedikleri gibi olduğun için ya da verdiklerin için değil, sen olduğun için sevenlerle sevgiyi paylaşman. Bunun için senin de sevdiklerini sana verdikleri için değil, kendileri oldukları için sevebilmen; kendini de olduğun gibi sevebilmen gerekiyor. Bunu yapabilmeye ve yaşayabilmeye başladığın anda gerçek sevgi içine dolmaya başlayacak.

Sana ahkâm kesmiyorum. Ben de her şeyi bitirmiş, çözmüş bir adam değilim. Daha değerli olduğumu hissetmek için o kadar çok çırpındım ki... Bir yaptığımı on anlattım, her girdiğim ortamda alakasız kendimi öne çıkaracak şeyler aradım. Kendimi ispatlamak için insanları ikna etmeye çalıştım, en başarılı olmak istedim, her ortamda birinci olmaktı en büyük derdim. Sevgilimi, dostlarımı, hatta ailemi rüşvet verir gibi, onları etkileyecek, sevebilecekleri adam olduğumu göstermeye çalıştım. Bu yüzden şekilden şekile girdim. Beğenmediklerime beğendim, ilgilemediklerime ilgileniyorum dedim. Ortam, beni sevmesini istediğim kişi neyi gerektiriyorsa o role büründüm. Bugün baktığımda görüyorum ki sevgi dilenciliği yapmaktan başka bir şey değil. Hem de içi nasıl boş. Çünkü bu kadar oyun üzerine topladığım sevginin aslında bende karşılığı yok. O yüzden de beklediğim ilgiyi, sevgiyi topladığım anda karşımdakinin bir önemi kalmıyordu. Hayatına, çevrendekilere, her türlü ilişkiye bak. Tanıdık geliyor mu bu paragrafta seninle paylaştıklarım.

Sevilmek için kendimden vazgeçmem bir tür "intihar". İntihar edince bedenini sonlandırıyorsun, kendinden vazgeçince varoluşunu.

Bir insan sevgi yok diyorsa, sevgiyi bulamıyorsa, geçmişi bir kenara koyup, kendi tıkanıklığını bugünde açması gerekiyor. Daha önce karşına çıkanlar, seni kıranlar, üzenler yüzünden kendini sevgiden yoksun, insanları da ışığından yoksun bırakamazsın. Her gün sevgiden vazgeçmiş ya da sevginin kırıntılarında kaybolmuş insanlarlayım. Sarıldığımda, hissettiğimde her birinin yüreğindeki acıyı hissediyorum, ruhundaki yırtıkları. Her birimiz farklı yansıtıyoruz kırgınlığımızı, açlığımızı, değersizliğimizi. Bazılarımız güçlüyü oynuyoruz, bazılarımız sessizliğe bürünüyoruz. Ben bu oyunda yokum der gibi.

Burada duracağız. Şu an belki de seninle paylaştığım, paylaşacağım en önemli an. Tüm sayfalar, sohbetin tamamı bu an için bile olabilir. Pencerenin önünde karşılıklı duran iki koltuk var. Sürgülü cam kapıların ötesinde İstanbul şahidimiz. Sana kahve yaptım, nasıl içtiğini bilemedim, orta yolu buldum, orta şekerli yaptım. Öyle makinede falan da değil. Bakır cezvede, kısık ateşte. Bu anı ses kaydı alıp, sonra kâğıda dökeceğim. Bu anı gerçekten yaşamak istiyorum. Sanki sen karşımdaymışsın gibi. Beraber kahvemizi içiyor gibi. Kimileri bu herif deli diyecek, kimileri sallıyor düzenbaz diyecek...

Fincanları taşırken biri biraz döküldü. Âdettendir onu kendime aldım. Seninkinde taşma dökülme yok. Fal bakar mısın bilmiyorum ama eğlenceli olabilirdi. Öğrencilerimden biri fıstıklı lokum getirmişti. Belki yeriz bir iki tane. Kalorisinden bir şey olmaz arada kaynar tat olur. Hadi otur. Ben sana anlatırken, sen de bana ayna tutuyorsun. Dizlerimiz yakın, sessizlik hâkim. Sessizliği ben bozacağım. Sözlerim bitene kadar gözlerimi gözlerinden ayırmayacağım.

"Yaşamında ne eksik? Kendini yalnız hissediyor musun? Yorgun musun? Zaman akıp gidiyor ve sen yakalayamıyorsun gibi mi geliyor? Daha iyisini yapabilirmiş ama bir türlü beklediğin patlama olmamış gibi mi? Soruları devam ettirebilirim ama şu an cevaplarını beklemediğim soruları sürdürmeme gerek yok. Bu soruların cevaplarıyla ilgilenmiyorum. Bu ve benzeri sorular sonuçların soruları. Bunların kaynağına inelim. Senin de görünen, bilinen, yansıyan sonuçlarından çok ama çok daha fazlası kaynağında tuttukların.

Kendini sürekli anlatmak zorunda hissetmek zor. Anlatmaktan vazgeçip içine kapanmak daha da zor. Her ikisini de yaşıyoruz. Yavaş yavaş özgüvenimiz törpüleniyor, kendimizden vazgeçiş başlıyor, dönem dönem hırs basıyor, yeni hedefler konuyor, koşuluyor yolda vazgeçiliyor. Bazen de hedefe ulaştığında asıl sorunun devam ettiğini görüyorsun. Hedef sadece seni oyalamış oluyor. Katlanma katsayını artırıyor.

Bana başıma gelenleri, aslında ne olduğunu, nerelerde tıkandığını anlatma. Ben, hepsinin ardındakini zaten görebiliyorum. Bu bana verilen bir lütuf mu bir ceza mı bilmiyorum. Yaşadığımız sıkıntılar, girilen çıkmaz sokaklar hepimiz de var. Eş, çocuk, anne baba sorunları, gelecek endişesi, geçmişin yaraları, para, hayallerden uzaklaşmak, sağlık, yaşamın farklı *kulvarlarında farklı farklı yolculuklarımız var. Devam edecek. Sorunlar, çözümler, kayıplar kazançlar yaşadıkça devam edecek.*

Hepsinin ötesinde ve öncesinde sevilmeye ihtiyacımız var. Sevgiyi, sevmeyi, sevilmemeyi yaşayamamak değersizliği, kontrolsüz eylemleri, yabancılaşmayı, tek başınalığı, mutsuzluğu, öfkeyi ve dahasını yaratıyor.

Sevilmek için bir şeyler yapmak zorunda değilsin. Sevilmek için, sevgiyi hak etmeye çalışmak zorunda da değilsin. Sen zaten sevilmeyi hak edensin. Sevilmek için rekabet etmek, mücadele etmek, her şeyin mutlaka karşılığını vermek sana öğretildi. Bebekken sevilmek için bir şey yapmana gerek yoktu. Sonra ne değişti? Çevrendekilerin, insanların sevmeyi bilmemesinin faturasını sen üstlendin. Kendini sorumlu tuttun. Karşındakinin eksiklerini bile sen kapatmaya çalıştın. Birilerinin kendi yetersizlikleri, eksiklikleri, korkuları, bencillikleri seni yaralarken, sen sorumluluğu kendinde bildin.

Peki ne yapacağız şimdi? Geriye dönüp alacaklarımızı mı toplayacağız? Artık çok yoruldum bundan sonra nasıl giderse gitsin mi diyeceğiz? Sevgi mevgi hikâye yalanına kendini inandırmaya mı çalışacaksın? Hiçbiri değil.

Beni iyi dinle. Senin şu anda karşımda oturuyor olmanın tek nedeni sensin. Gün içinde sana biri bir iyilik yapınca, güzel bir söz söyleyince hemen karşılı-

ğını vermeye çalışıyorsun. Mutlaka bir karşılığı olmalı mı? Sen sadece sen olduğun için birilerinin ilgisini çekemez, sevilemez, değerli olamaz mısın? Önce bunu anlamalısın. Bunu anlayamadığımız için o kadar çok maske takıyor, kendimizden vazgeçemiyoruz. Çok kolay yönlendiriyoruz.

Evliliğinde saçını süpürge eden kadın bunu yapmazsa değersiz olacağını düşünüyor. Güvensizliğimiz de buradan besleniyor. Neden beni sevsin ki? Ben onun için bir şey yapmadım ki? O bana göre çok iyi, onun etiketi daha iyi. Sevilmen için unvanlara, diplomalara, başarılara, zengin olmaya mı ihtiyacın var? Onların hepsi sevgiyi hayatına soktuğunda en güzel halleriyle gelirler zaten. Sevgisiz elde edeceğin hiçbir şey seni tatmin etmez, yetmez, açlığını doyurmaz. Sevgi açlığında bunları elde etmek istemenin nedeni sevgiyi satın almak olacak. Sevgiyi yaşamına sokarak, değerli hissederek, insanlara da bunu sunarak bunlara ulaşırsan, kendini gerçekleştirmiş olmanın kalıcılığıyla ve gerçekliğiyle hepsi gerçekten sana ait olacak. Bir daha oku bu son birkaç satırı. Burayı anlarsan, yolu açarsın.

Şimdi altın soru: Sen insanları olduğu gibi sevebiliyor musun? Yoksa sen de sevdiklerini, seni sevdikleri ve senin testlerinden geçmeyi hak ettikleri için mi seviyorsun? Sen yanındakilere kendilerini iyi, huzurlu, değerli hissettiriyor musun? Yoksa roller değiştiğinde

birçok kez farkında olmadan sen de senin eleştirdikle-
rin gibi misin? Biraz düşün ve lütfen tarafsız, dürüst
bakmaya çalış.

İstisnasız hepimiz sevgiyi arıyoruz. Değerli olma-
yı, sevmeyi ve sevebilmeyi. Benim dünyamda, senin
oturduğun koltuğa kim oturursa benim için aynı. Ne
bir etiket, ne bir sıfat... Eğer karşımdakini sevemiyor-
sam, değer veremiyor ve değerli hissettiremiyorsam,
kötülüklerinin, hırçınlıklarının, hoşnut olmadıklarımın
mın altında yata şu anda senin de hissettiklerin, kork-
tuğun şeyler var. Her birey kendi değersizlik hissinin,
sevgi açlığının yansımalarını farklı veriyor. Kimi kıs-
kanç, kimi küstah, kimi zalim, kimi öfkeli, kimi...
Başka türlüsünü bilmiyorlar. Çocuklar bile ebeveyn-
lerini üzecek davranışları yaparken aslında açlıklarını
haykırıyorlar. Sen de onlara bekledikleri gibi davra-
nırsan öğrenilmiş çaresizlikleri daha da güçleniyor.
Bu aşama sana ağır gelmiş olabilir. O zaman bunu
yapabilecek durumda değilsek bir önceki aşamaya ba-
kalım.

Sen, sevilmek için olman gerekenden fazlasını yap-
mak zorunda değilsin. İnsan olduktan sonra olması
gerekenler zaten kendiliğinden geliyor. Fazlasını ve-
rerek, hele ki kendinden eksilterek daha çok sevilmez,
hata sevmeyi unutursun. Sen zaten, sen gibi olduğun-
da sevgi saçarsın. Mıknatıs gibi çekersin. Rollerden,
oyunlardan uzak bir kaynağa dönüşürsün. Işığını

alabilecek olan, sevginin kaynağından içebilecek olan sana gelir. Gelmeyen de gelmesin zaten. Kabuklarımız durduğu sürece, yüreğimiz saklandığı sürece kısırdöngülerin, çatışmaların arasında yok oluruz.

Kabukları kırmaya en gerçek kendimizden başlayabiliriz. Kuşandığımız zırh, ördüğümüz duvarlar yüzünden verdiğimizi sandığımız sevgi, ilgi, anlayış pek bir yavan kalıyor. Biz çok veriyoruz zannediyoruz, oysa çok da farklı kalmıyoruz eleştirdiklerimizden. Sen de olmayanı, karşında bulamazsın ki...

Durumları kişisel algıladıkça, olanı göremedikçe, yorumlar yaparak yaşadıkça, etiketlere takılarak karşılık verdikçe sen olamazsın, sen olamadıkça gerçek olanı bulamazsın. Ben ihtiyacın olanın zaten sende durduğunu görüyorum. Sen ise dışarıda arıyorsun.

Şimdi gevşe artık. Benim yanımda bari bırak kendini. Burada yargı yok, dün yok, yarın yok. Sadece olan var. Sen ve ben. Burada etiketler yok, kimlikler yok. Gözlerin var, en yalın olan var. Hadi şimdi biz kabuklara meydan okuyalım.

Kalk kalpten, yürekten bir sarılalım. Sözcüklerin yerini, enerjilere bırakalım. Fincanlara dikkat. Tam camın önünde duralım. Dur camı aralayayım biraz da İstanbul dolsun içeriye. Bak, şehre bak. Şu anda ne kadar çok insanın bu anı deneyimlemeye, bu anı paylaşmaya ihtiyacı var. Gel. Kocaman kucak sana.

Seni seviyorum. Kalalım biraz böyle. Nasıl olsa dünya bir yere kaçmıyor. Bizi bekliyor. Biz biraz soluklanalım. Biz kaynak olalım."

Okumaya devam etme. Biraz dur. Çevrene bak. Şu anda bir gülümsemen, edeceğin bir tatlı söz şu andaki enerjimizi başkalarına da yaşatır. İnsanlara bak. Görmeye çalış. Görünenin, göz önünde olanın ardındakileri görmeye çalış. Ne kadar çok güzel bir şeyler duymaya, anlaşılmaya, kabul edilmeye ihtiyaçları var. Etrafında kimse yoksa gözlerini kapat, konuştuklarımızı sarıldığımızdaki enerjiyi hisset. Canlandır. Sen, sen olarak sevilmeyi hak ediyorsun. Sen sen olarak insanları kucaklayabilecek, hatalarının, korkularının, saldırganlıklarının, kaçışlarının ardındakini görebileceksin. Ben sana inanıyorum, ben sana güveniyorum. Burada yaktığımız ışığı, senin de yakacağını ve yayacağını biliyorum. Kitabın diğer tüm bölümleri tükenebileceğin yerler, anlar, alanlar hakkında sana ipuçları veriyor. Hepsi birleştiğinde mesajımı anlıyorsun.

Sevgiye dönersek, sadece insana değil oturduğun sandalyeden kullandığın cep telefonuna kadar sevgiyle yaklaşan olabilirsin, olmalısın da. Cep telefonunu sağa sola fırlatıp, hor da davranabilirsin, sevgiyle de. Sen, sevgiyi her anında yaşattığın ve taşıdığın sürece her geçen gün, saat, saniye sevgi kaynağın güçleniyor. Artık senin doğal bir yansımana dönüşecek. Dikkat et sevgiden yoksun insanlara. Sinirlendiklerinde arabalarını tekmeliyor, masalarına vuruyor, var olandan hırslarını alıyorlar. Cansız ya da canlı bir süre sonra ayrışmıyor. Eşlerine, yakınlarına, dostlarına, rakip takım taraftarlarına, karşıt görüştekilere, hepsinde de dönüp dolaşıp kendilerine sevgisizliği sunuyorlar. Sen onlardan biri değilsin. Her an sıfır kilometre. Bugünün, şu an geçmişini yansıtmak zorunda değil. Tuzaklara düşme, sevgiden vazgeçme.

Bütün sırlarımı dinledin. Ben her anımı böyle yaşıyorum. Niye sinirlenmiyorsun hiç diyorlar bana. Niye sinirleneyim, niye kızayım, niye kendimi kirleteyim. Karşımda kimse yok. Yanımdaki yanımda, içimdeki içimde, karşımda olmak isteyen arkamda yer buluyor kendine. Negatif olanla, beni eksilten ile yitirecek ne zaman var ne enerji. Ben panzehiri veriyorum. Dönüşmeyen zehri geride bırakıyorum. Yukarıda paylaştığımız gibi ulaşmamız gereken, sarılmamız gereken, güzellikleri paylaşmamız gereken çok dost var. Onların zamanından, onların yaşamında çalmış oluruz tuzaklara düştükçe, suni girdaplara çekildikçe.

Şimdi siesta zamanı. Ben de biraz gözlerimi kapatayım, soluğumu dinleyeyim. Kim bilir şimdi neredesin? Bedenler bir yerlerde ama ruhlarımız yan yana, iç içe... Bu satırlar yazılırken de odamdaydın. Şimdi ben senin misafirinim. Beni hissedecek, bana enerjisini gönderecek olan bu kez sensin.

Yazdıkça içimdekiler sana ulaşıyor. Enerjimi sorup duruyorlar ya işte bu. Biliyorum ki, yeni bir kıvılcım yanacak. Ulaşabildikçe ruhlara ışık büyüyecek. Sana ulaştıkça ben de iyileşiyorum. Dokunabildiğim kadar ruha dokundukça ben de büyüyorum. Hayat devam ediyor. Sevgiyi hissetmediğim, veremediğim an çekilirim bu oyundan. Oyunbozanlık değil bu. Sevgi yoksa hiçbir şey yok. Ne sevişmenin, ne paranın, ne yemeğin, ne suyun, ne de yaşamın herhangi bir unsurunun...

Sevgi yoksa hiçbir şey yok. Sevgi yoksa hayatında kazandığın, elde ettiğin, ulaştığın hiçbir şeyin değeri yok. Bunu sen de biliyorsun. Çünkü hepsinden, her şeyden çok sevgiyi istiyorsun, sevgi arıyorsun. Bulduğunda da kaybetmekten korkuyorsun. Korkacak bir şey yok. Karşındaki, yanındaki kaynak tükendiyse, sana kaynak olacak, senin de karanlığını aydınlatacağın o kadar çok ruh var ki, bir ömrün kesinlikle yetmeyeceği kadar çok. O yüzden küsmene, sinmene, vazgeçmene hiç gerek yok. Her vazgeçiş, karanlığın ekmeğine yağ sürmek. Bugünkü dünya sevginin eksikliğinin göstergesi.

Kırılanlar kırıyor, vazgeçenler öldürüyor, yok olurken yok ediyor. Bazen insanı, bazen doğayı, bazen... Sen onlardan değilsin, sen yalnız değilsin, sen değerlisin, sen... Sen çok güzelsin. Yanımda kal. Ara sıra kitabın sayfalarını karıştır, enerji ol. Tıkandığında bu sayfaları hatırla. Gözlerini kapat, hisset. Sevgi hep var.

Sevgi görmek istediğinde her yerde, her hücrende, etrafındaki her şeyin her noktasında var. Saklanmasına, gözünden kaçmasına izin verme.

Gözkapaklarım ağırlaşıyor. Odamda tek başımayım, biliyorum çok kalabalığım. En güzel kalabalık. Aynı gök kubbenin altında buluşan aynı frekanslar, dost yürekler. Fiziksel bedenlerimiz sınırlı ama biliyorsun ruhumuz sınırsız. İstediğimiz zaman buluşur, paylaşırız. Daha önce demiş miydim, seni seviyorum.

Tabulaştırılmış ya da Dejenere Edilmiş Cinsellik, Eksik Yaşamak Demek

"Siyah beyaz... Her şey siyah beyaz. Odaya giren ay ışığı tek aydınlık... Bu gece dolunay var. Genişçe bir oda... Kocaman bir yatak, gotik bir etajer, beyaz perdeler toplanmış; geniş pencereleri tiyatro görseline bürümüş... Yatağın üzerinde sürreal bir yağlıboya tablo... Pencereden görünen alabildiğine siyaha boyanmış, yakamozlarla renklenmiş deniz... Pencere aralık, hafiften bir rüzgâr esiyor odaya. Pencerenin önündeki koltuğun dibine yaslanmış sehpadaki taze çiçeklerin yapraklarını dalgalandırıyor. Hepsi bu. Sadelik, ferahlık, huzur ve sessizlik...

Kapı kapanıyor. Odanın içinde bir sen, bir ben... Kapının önünde karşılıklı duruyoruz. Hatlarının orantısı kıyafetiyle bütünleşen, denizkızını andıran senin üzerinde bembeyaz yere uzanan askılı tok bir elbise... Aramızda bir adım... Kokunu soluyorum, bakışların davetkâr, itaatkâr, hükümdar, utangaç, yüzsüz... Gözlerimizle konuşuyoruz. Gözler tutku, *sevgi, arzu yüklü... Belki bu gecelik, belki bir sürelik, belki bir ömürlük...*

İlk kez yalnız, ilk kez gecenin kucağındayız... Bakışlar hiç kaybolmuyor. Aynı anda yavaşça adım atıp sarılıyoruz birbirimize... Sıkı sıkı değil, sanki kırılacak bir vazoya sarılır gibi özenle... Dokunmakla dokunmamak arasında... Seni hissediyorum. Yüzüm saçlarından boynuna kayıyor. Ellerim ensende, sırtında, omuzlarında dolaşıyor usul usul... Boynumdan kokumu içine çekişini hissederken, kulaklarından omuz başına seni kokluyorum... Burnum dolanıyor teninde... Kulak hizasından boyuna, boyundan omuza... İyice sokuluyorsun bana... Omzunun en uç noktası, düştüğümde parçam bulunamayacak bir uçurumun köşesi. Sarılma sıkılaşırken, eller bedenleri keşfe çıkıyor... Ense, sırt, bel, omuz derken ellerim kalçalarına iniyor. Parmaklarım omurganın her bir boğumuna baskı uyguluyor. Boynumda dudaklarının sıcaklığını hissediyorum. Aralandıklarında nefesinin sesi kulaklarıma doluyor. Dudaklarının aralanışını ve ilk ıslaklığını hissetmeyi bekliyorum sabırsızlıkla. Dakikalarca kalıyoruz böyle koklamaya devam ederek. Karanlıkta kayboluyoruz, zaman yok mekân yok...

Yanaklar yakınlaşıyor, gözler, burunlar temas ediyor, dudaklar teğet geçiyor. Kokunu içime çekerken nefesini duyumsuyorum. Alınlar değiyor, gözler dip dibe, dudaklar değdi değecek... Gözlerimiz açıldığında kirpiklerimiz dans ediyor. Daha sıkı sarılıyoruz, kıyafetlerimizle tek bedeniz. Yavaşça sırtını kapıya yaslıyorum. Kapıyla aramdasın... Ruhlarımız sevişirken, bedenlerimiz alev alev... Yüreğinin atışını duyuyorum. Yeknesak bir ahenk... Aynı anda nefes alıp, aynı anda nefes veriyoruz. Tüm bedenlerimiz şu an, bu odada... Şu anda sadece sen ve benden doğan biz...

Gözlerini kırpıştırdıkça kirpiklerin kirpiklerime değmeye devam ediyor. Gözlerinde kayboluyorum. Gözlerin kısıldığında, yüreğimden yükselen basınç boğazımı tıkıyor. Dudaklarım yanağından dudaklarının kesişme noktasına kayıyor. Kalbimin sesini kısamıyorum. Ağırlığımı artırdıkça kapı gıcırdıyor. Ellerim bedeninin iki yanında yukarı aşağı usul usul hareket ediyor. Değmekle değmemek arasında bedenini sarıyor. Sadece bedenini değil, auranı, enerji bedenini, ruhunu. Ellerim ensene geliyor, saçlarını kavrıyor. Saçların ensenle avucum arasında köprü oluyor.

Yırtmacına indiğimde duruyor, yeniden yukarıya tırmanıyor. Aralanan dudaklarının kenarında nefesin dudaklarımda... Çenene iniyor, dudaklarının eşsizliğinin tadını gözlerime bırakıyorum. Kirpiklerim dudaklarını süpürüyor. Çenenden dudaklarına çıkarken dilin beni karşılıyor. Dudaklarda ilk temas, ilk ıslaklık. Sakın acele etme ruhum ruhunda; bedenim bedeninde kaybolurken. Dudaklarımızın kenarı, omuzlarından daha derin bir uçurumun kenarı...

Uçurumun başında bekliyorum, belki de bir daha hiç yüzeye çıkamayacağım derinliklerde kaybolmaya... Dudaklarının kenarlarında ıslaklık artıyor. Dilin yaramaz çocuk edasıyla dilimi buluyor. Birbirlerini buluyor, kenetleniyor. Saatin her milisaniyesinde, her milimetresini hissediyorum bedeninin...

Dudaklar daha sert kenetlendikçe, eller de daha sert, daha baskılı dolaşıyor, parmaklarının dokunuşlarını daha derin hissettiriyor. Omuzlarımda, sırtımda tırnaklarının keskin sızısı yayılıyor. Eller kalçalara ilk kez iniyor. Dudakların, dillerin dansına bedenler katılıyor.

Parmakların gömleğimin düşmelerinin arasından tenime ulaşıyor. Diğer elin parmakların yolunu açıyor. Önce ilk düğme, birkaç dakika sonra ikinci düğme... Sakin, her anı hissederek. Ceketim az önce omuzlarımdan, sırtımdan kaydı ve ayaklarımızın dibine düşen ilk parça oldu. Boynundan omuzlarına ilerleyen dudaklarım, dişlerimden güç alarak elbisenin sağ askısını omzundan aşağı indiriyor. Sutyeninin dokusunu sol omzumda hissediyorum.

Gözler yeniden kenetleniyor. Muzip bir gülümsemeyle yavaşça dönerek sırtını göğsüme, kalçalarını kasıklarıma bırakıyorsun. Enseni, ensene dolanan saçlarını hayranlıkla izlerken, saçlarınla birlikte enseni kokluyorum. Ensendeki saçları usulca sağ omzuna çekerken, açığa çıkan ensenden derin bir nefes çekiyorum içime. Nefes alırken, tüm bedenini içime çekiyorum. Dudaklarım ensedeki tadı keşfederken, kollarım karnına dolanıyor, ellerim birleşiyor. Sımsıkı kilitliyorum seni kendime. Dudaklarım, omzundaki diğer askıyı da ilkini düşürdüğü gibi düşürüyor. Narin ayakların yarım adım öne çıktığında elbise bedeninden süzülerek çıplak ayaklarına düşüyor. Karanlıkta ışıldayan bir beden... Dudaklarım enseden sırtına inerken, belin narince kıvrılıyor dudaklarım belinle yol alıyor. Sonrası bütünüyle kapanan bir zihin, sadece enerjinin akışında kaybolan iki ruh, iki beden.

Yatağa ne zaman geçtik?.. Saatin tik taklarında çok zaman geçti. Sakin, yavaş ve huşu içindeydik... Bedenlerimiz çıplak kaldığında önce deri kanepenin, sonra yatağın kucağında bulduk kendimizi. Derinin sırtımı yakışını hissediyorum hâlâ. Keşfimiz saatlerce sürdü. Birbirimizin içinde olmadan, bedenlerimiz yol aldı. Bedenler yatağın dört bir yanına hareket ederken adeta dans ediyorlar. Henüz tek beden olmadılar, birleşmediler. Ayaktayken tanıştığım, içtiğim senin yoğun aroması dudaklarımda. Yavaş yavaş bir başka varlık dile geliyor, dışarıdan bir göz bizi anlatıyor. Zamansızlığın, birbirlerinde olmanın sefasındalar... An oluyor derin derin öpüşüyorlar, an oluyor kadın erkeğin erkek kadının bacaklarının arasında kayboluyor.

Dertleri boşalmak değil… Milyonlarca insanın yaptığı gibi yatak sporu da yapmıyorlar. Sevişiyorlar, sevgişiyorlar… Erkeğin yeşim sapı, kadının yeşim vadisine girdiğinde arzu, tutku, şehvet odaya doluyor. Kim kimin içinde? Kadının içindeki onlarca kadın, erkeğin içindeki onlarca erkek yatağa dökülüyor. Tek beden… Dünya üzerinde, evrende şu an başka bir şey yok. Utanç, kalıp, tiksinme, utanma yok… Artık bir odada, bir yatakta, tek beden tek ruh var. Siyah beyaz odaya onlarca canlı renk bedenlerinden yayılıyor.

Bizim zamanımızda saatler akıyor… Ay ışığında karanlık odaya sanatsal bir gösteri eşlik ediyor. Odadaki her şey, duvarlar, pencereler, deniz, ay hepsi dekoru oluşturuyor. Başrolde kadın ve erkek…

Ay yerini güneşe bırakırken beyaz çarşafların üzerine ilk ışıklar düşüyor. Kadının bir bacağı, Van Gogh'un tablosundan taşar gibi yataktan taşıyor. Göz göze ve tek bedenler… Gözleriyle konuşurken adeta birbirlerine varlıkları için minnet ediyorlar. Bakışlara, ince gülüşler karışıyor. Bedendeki kasılmalar, hafif titremeler bütün gece yaşanan, sadece organik bedenlerin değil, ruhun ve tüm ötesindekilerin titreşimlerinin gölgesinde kalıyor. Erkek hafifçe kadının üzerine yığılırken, belki de bu gece hiç olmadığı kadar sıkı sarılıyorlar. Son bir dudak… Erkek hafif kaykılıp kadına yol açıyor. Kadın yüzü erkeğin boynunda gözlerini kapatırken erkek önce biraz tavana bakıyor

sonra o da kendini birlikte çıktıkları rüyalar âlemine
bırakıyor.

İki insan arasındaki cinselliğin yaşanması böyle bir
şey... Bu cümleler cinselliği skor yarışı, et alışverişi,
günah, tu kaka görenlere ya da dejenere ederek vah-
şeti, aşağılamayı cinselliğe katanlara ithaf edilmiştir."

İşte benim için de cinsellik böyle bir şey... Organik,
eterik, duygusal, ruhsal, zihinsel, hepsi, tüm bedenler...
Sadece organik bedenlerin sürtünmesinden, yatak spo-
rundan çok daha öte... Aşk, sevgi gibi yaşamın temel
enerjilerinden biri. Bastırırsan ya da dejenere ederek
tüketirsen bugünkü dünyayı yaratırsın.

Cinselliğin sadece üremek için olduğuna hiçbir za-
man inanmadım. Cinsellik, evrenin, doğanın her nok-
tasında, yaradılışın tüm titreşimlerinde var. Çiçekte,
böcekte, havada, suda, çoğalan, yaşayan, nefes alan her
bir canda...

Cinsellik senin için ne ifade ediyor? Cinselliği nasıl
yaşıyorsun? Ya da gerçekten yaşadın mı? Yoksa olsa da
olur olmasa da mıydı? Bu soruların cevaplarına kadın
ve erkek farklı cevap veriyor. Çünkü kadın ve erkek
eşit büyümüyor, eşit davranılmıyor.

Erkek egemen unsurlar, büyük bir ikiyüzlülükle, ka-
dının cinselliğini hem bastırıyor, hem de dejenere edi-

yor, objeleştiriyor. Bu ayrımı da iki etiketle adlandırıyor. Birçok tanımın içinde en çirkin olanı ama durumu en iyi özetleyen evlenilecek ve eğlenilecek kadın olarak ikiye ayırıyor. İşyerindeki kadını taciz eden, sokakta karşılaştığını gözleriyle yiyip bitiren, erotik filmlerden reklamlara kadının cinselliğini görmek isteyen erkek, evindeki kadının, sevgilisinin, kız kardeşinin kıyafetine bile ambargo koyuyor. Çünkü kendinden biliyor diğer erkekleri.

Genel olarak kadın erkek eşitsizliğinin temelinde yattığı gibi, cinsellikteki dengesizliğin ve ikiyüzlülüğün temelinde de "bekâret" yatıyor. Bekâreti sonuna kadar savunmaya hazırım ancak erkeğin de "bakir" olması koşuluyla. Kadın erkekte bakirliği arayamazken, erkek kadına bekâreti şart koşuyor. Ülkemizde tacizin, aile içi cinsel istismarın ne kadar yüksek oranlarda olduğunu istatistikler ortaya koyarken, erkeğin bu ikiyüzlülüğünün faturasını kadın ödüyor.

Tecavüze uğramış bir kadında acaba tahrik unsuru var mıydı diye bakabilecek kadar çarpık bir sistemden bahsediyoruz. 15 yaşında bir çocukla ilişkiye giren kazık kadar adamların, mahkeme tutanaklarında kızın istekli olduğunu belirttiklerini gazetelerde okuduğumuzun üzerinden çok geçmedi. Hayat kadınına, travestiye tecavüzü daha hafife alan yasaları da çok yakından hatırlıyoruz.

Trajikomik olan durum, erkek bekâreti şart koşarken, namusu, bekâreti sadece kızlık zarıyla ölçüyor olması. Bir kız, cinselliği birçok boyutta yaşıyor ama bekâretini koruyor. Bir başka kız, belki de delice âşık oluyor, evlenme yalanıyla kandırılıyor ve bekâretini aşkla kaybediyor. Hangisi daha masum? Ya da bugün birçok uzman, gayet karşılanabilir ücretlerle yapay kızlık zarı monte edebiliyor. Tıpkı erkeğin, iktidarını yanlış yerde araması gibi, kadındaki namusun ölçütünü de yanlış yerde arıyor.

Belki de erkek aslında kıyaslanmaktan korkuyor. Ne de iktidarı yanlış yerde arayan erkek, kendinden daha fazla iktidara sahip olan bir erkekle kıyaslanıyor olmaktan çekiniyor. Küçücük bir kızı taciz eden kelli felli, yaşlı başlı karaktersiz, vicdansız insanların da kendilerine kolay hedef seçmelerinin nedeni iliklerinde hissettikleri yetersizlikleri değil mi? Sonra bu adam kalkıp töre cinayeti bile işleyebiliyor.

Kadının toplumsal yapıda ikinci plana itilmesinin temelinde, kadınlık ve erkeklik olgusuyla bakıldığında temelince cinselliğin geniş yer tuttuğunu görürsün. Kadın karşısında erkeğin biyolojik olarak yatakta başlayan zayıflığı, "anne" karakterinde dominant bir yönetimle daha da güçleniyor. Bu durum, ortalama erkeğin hayatına giren tüm kadınlara yansıyor. Karısına da, önceki sevgililerine de varsa evlilik sırasındaki yasak ilişkilerine de... Birçok kadın cinselliği hiç tanımadan evlendiği adamın yaşattığı kadarıyla, belki de cinselliği hiç anlayamadan, erkeğin bir aracı olarak tanıyor. Ya da bir gün birisi karşısına çıkıyor ve kadını kadın gibi hissettiriyor.

Dönüp dolaşıp eğitime ve aile içindeki eğitime, yetiştirilme tarzına dönüyoruz. Kadının namusunu erkeğe teslim ederek, kadını eğitimde, iş yaşamında, ekonomik ölçekte bağımlı kılmaya yönelik yaklaşımı derinleştirerek erkeğe de başka alternatif bırakılmıyor. Ailesinde, çevresinde gördüğünü erkek, kendi hayatına taşıyor. Cinsellikteki başarısızlık, erkeğin yaşamındaki en büyük kâbusa dönüşüyor.

Cinselliği konuşmuyoruz, paylaşmıyoruz. Aileler çocuklarıyla cinselliği konuşmuyor. Nasıl konuşsunlar ki, daha kendi cinselliklerini konuşamıyorlar. Birçok aile görev aşkıyla cinselliği yaşıyor, her şeyi konuşurken konu cinselliğe geldiğinde susuyor. Erkek çocuğu ile kız çocuğu bambaşka yetiştiriliyor. Erkeğe cinsellik temelinde iktidar yolu sunulurken, kıza yasak elma olarak sunuluyor.

Çocuklara cinselliği, cinsellikten haz almayı ayıp, günah olarak öğretiyoruz. Sonrasında hayatları boyunca, hayatımız boyunca cinsel istekten, arzudan, cinselliği yaşamaktan utanç ve suçluluk duyar hale geliyoruz. Bu şekilde cinselliğini bastırıyor, cinselliği yaşamak istiyoruz diye öfkeleniyoruz. Cinsellik utançla bastırılınca vajinismus, cinsel soğukluk gibi hastalıklar, işlev bozuklukları ve cinsellik kaynaklı şiddet ile karşılaşıyoruz.

Cinsellik, yemek içmek tuvalete gitmek kadar doğal. Ama biz çocukların cinsellikten utanmalarını sağlıyoruz. Ayıp, günah, tu kaka. Kaçınılmaz olarak çocuk arzuları hissetmeye başladığında hele ki kız ise, utanç duyuyor. Bastırmaya çalışıp bastıramadığında bu kez suçluluk duyuyor. Çocuklarımıza yaptıklarımıza bak.

Öpüşürsem hamile kalır mıyım soruları arasında, ergenlikle birlikte cevaplar çoğu zaman yanlış yerlerde aranıyor. Cinsellikte başlayan eşitsizlik, dengesizlik, erkek egemen yaklaşım dalga dalga yaşamın farklı kulvarlarına yayılıyor. Kadının namusunun bekçisi erkek, evin tartışmasız otoritesine, sosyal yaşamın karar vericiliğine tartışmasız soyunuyor. Öte yanda tacizler, tecavüzler, ensest ilişkiler, fuhuş köleliği, çocuk pornosu gibi insanlık dışı pislikler... Eğer bu konuyu derinlemesine açacak olursak seninle birkaç kitaplık bir sohbet yapmamız gerekir.

Sana göstermek istediğim tek şey, cinsellik aşkın, sevginin, insan olmanın, doğanın bir yansıması. Namus ise, kıyafetle, davranışlarla, sosyoekonomik yapıyla ölçülebilecek bir kavram değil. Sana danışanlarımdan dinlediğim öyle hikâyeler anlatırım ki, hem de hiç beklemeyeceğin kesimlerden dudağın uçuklar. Bugün biliyor musun ki, nüfusun çoğunluğunun cinsellik üze rine yaşanmış travmaları var. Cinsellik enerjisinin gerekliliğini ve doğru üretimini, kullanımını bir kenara bırakıyorum, cinsellikle yaşanmış travmatik durumlar yaşamları söndürüyor Danışanlarımın yüzde altmışı yaşamının bir evresinde cinsel tacize uğramış. Bu yüzde 60'ın yüzde 15'i erkek. Erkeklerin bunu ifade etmesinin ne kadar zor olduğunu da düşünürsek, tacizin toplumsal yapıda ne kadar ağırlıklı bir travma olduğunu anlayabiliriz.

Cinselliği konuşmaktan çekinme ve unutma ki karşındaki insanın da bir travması olabileceği kadar arzuları, beklentileri var. Cinsellik tek taraflı yaşanacak bir olgu değil. Bedenler kadar belki de daha fazla ruhların, duyguların örtüşmesinden bahsediyoruz. Gerçek bir senfoniden söz ediyoruz.

Tüketilecek, hoyrat yaşayacak ya da konuşulamayacak, utanılacak bir şey değil. İster kabul et, ister kabul etme yaşamının önemli bir parçası. O yüzden gerektiğinde uzmanlardan danışmanlık almaktan, sevgilinle, ailenle konuşmaktan çekinme.

Benim için cinsellik gerçekten bir senfoni. Sevgi, tutku, aşk, tüm duygular, bedenlerde birleşiyor. Vücuttan sıvı atmak değil cinsellik. Karşındakini yok sayarak da yaşayamazsın, paylaşamazsın. Beyninde, ruhunda boşalmadıktan sonra bedende boşalmak hiçbir şey ifade etmiyor. Uzun yıllara dayanan birliktelik, yaşlılık cinselliğin yaşanamaması için bahane değil. Ancak, hisler tükendiğinde cinsellik tükenir. Sarılmak, dudakları buluşturmak, koklaşmak, hissetmek enerjinin yaşanması için yeterli olur. Cinsellik, kaba bir seks eylemi değil. Bunu çözdüğün ve yaşamına taşıdığın an, yaşam kalitene yansımalarını hissedeceksin.

Daha önce de konuştuğumuz gibi her an sıfır kilometre. Beraber olduğun insanın geçmişi geçmiştir. Daha önceki ilişkiler, yaşanmışlıklar şu anımızda barınamaz biz izin vermezsek, biz yorumlar katmazsak... Bugün erkek önyargıları yüzünden, bile bile kötü sevişen ne kadar çok kadın var. Çünkü erkeğin zorlayıcı sorularından, yapıştıracağı etiketlerden kaçıyor.

Birlikteliklerini, ilişkilerini, sevgiyi, aşkı cinsellikle kutsamaktır gerçek cinsellik... Bunun dışındaki her şey sadece yanılsama...

Daha önceki sohbetlerimizde de, buluşmalarımızda da cinselliği birçok boyutuyla tartıştık. Şimdi bir kez daha baş başayken sen nasıl yaşıyorsun cinselliği? Senfoniyi hissediyor musun? Karşındakini bir obje bir araç değil, sevişirken bütünün bir parçası olduğunu görebiliyor musun? Hiçbir şey yapmadan saatlerce sadece öpüşmek bile tarifi olmayan bir duygu seli, enerji kaynağı yaratır. Sadece arzulu bir sarılma bile sadece etlerin paylaşıldığı, boşalma odaklı bir seks oyunundan çok ama çok fazlasını verir.

Sapkınlıklar artıyor, tabulaştırmak kadar zarar veriyor doğamıza. Konuşamadıkça, öğretemedikçe, paylaşamadıkça ihale saf cinselliğe kalacak. Suiistimaller, insanlık dışı yaşanmışlıklar devam edecek. Ne olur sen de korkma. Sen de susma. Konuş, anlat, aydınlat. İnsanların, cinselliğin eksikliğinde ya da dejenerasyonunda yok olmasına izin verme. Her birimiz kendi hayatlarımızdan başlayarak dünyayı güzelleştirebilir, yaşamları kurtarabilir, acıyı dindirebiliriz.

Ruhuna, bedenine değer ver, dinle ve yaşaman gerekeni sanan yakışan gibi, sen gibi, içinden kopan sen gibi yaşa. İnsandan doğan, modifiye edilmemiş, bastırılmamış ya da çarpıtılmamış cinsellik günah olamaz, ayıp olamaz; çünkü o olmadan gerçek bir yaşam olamaz. Bazen sadece sarılmak bile olsa 80 yaşındaki sevgililerin dolanmış kollarında...

Cinselliği yaşamın doğasının vazgeçilmez bir parçası ve en temel enerji kaynaklarından biri olduğunu anlayamadıkça, yaşamında olması gerektiği gibi yer alamadıkça hep bir bacağın eksik yaşayacaksın.

Evlilik Bir Son Değil, Bir Başlangıçtır

"Her şey bitebilir... Her güzel başlayan sonsuza kadar sürecek sanırız, yaşam gibi... Her şey başlar ve her an, her zaman, her şey değişebilir; her şey ummadığın zamanda bitebilir. Hayatımızda hiçbir şeyin garantisi olamayacağı gibi, ilişkilerimizin de bir garantisi olamaz. Ve ilginç olan, evliliklerde ve ikili ilişkilerde bu gerçeğin kabullenilmesi ilişkiyi güçlendirir. Bana sorarsan yaşamda bu gerçeğin farkında olmak her eylemi, yaşamın kendisini gerçek kılar. Hele ki ilişkilerde...

Çünkü 'cep'te olmak 'garanti' görmek ilişkinin temellerini oymaya başlar. Yanındaki insanın senden başka kimseye bakmayacağına emin olmak, aldatmasının aklının ucundan bile geçmemesi, ona sahip olduğun gibi bir yanılsama varoluşa sırtını dönmek ve ilişkini tüketmektir. İlgi azalır, özen kaybolur, o hep yanı başında var olana dönüşür. Evdeki kadın, cepteki erkek...

Kaçan kovalanır hurafesi değil bu... İnsanın gerçeği... Sokağa çıktığın andan itibaren rekabet başlar. Her insan değerli olmak, kendini önemli hissetmek kadar ilgi ister, beğenilmek ister, kendini özel hissetmeyi umar. Bir gün yaşamındaki erkek, kadın tarafından bu en temel ihtiyaçlarını alamamaya başladığında, yavaş yavaş delikler açılmaya başlar; yavaş yavaş boşluk doğar. Sokakta, dışarıda her zaman potansiyel olarak sana gelen ilgiyi görmeye, duymaya başlarsın.

Bana sorarsan yanındaki insanı bu kadar garanti, cepte görmek onun varoluşuna bir saygısızlıktır ve egonun tavana yapışmasıdır. Aşkım, sevgilim, karım, kocam; benden başka biri kadar tercih edilemeyecek kadar değersiz mi?

Kaldı ki, o benim cazibe alanım, çekim merkezim. Kankam değil. İlişkilerin gizli düşmanı 'yüzgöz olmak'. Affına sığınarak bunu amiyane bir örnekle anlatacağım. Arkadaşının yanında geğirebilirsin, duşunu almadan odaya girebilirsin. Ama sevgilimin, eşimin yanında bunu yapamam. Yapmamalısın da. Bunun arkasından seste, tonda, yaklaşımda kalite düşmeye başlarken saygı usul usul uzaklaşmaya başlıyor. Cümleler, kelimeler özensizleşiyor. Gözden kaçan o minik kırılmalar sevginin bile altını kazmaya başlıyor.

İlişkideki güzellikleri garantisini almadan da olsa baki kılmak istiyorsak, her ilişkinin bitebileceğinin, herkesin bir gün gitme ihtimalinin olduğunun farkında olmayı seçeriz. İş yerinde bile koltuğum garanti dediğin anda salmaya başlarsın ve bir gün aslında o kol-

tukta olmanı sağlayan değerleri yitirdiğini görürsün. Ve bir sabah İK departmanı seni odaya çağırır. Tıpkı bir gün yanındaki insanın başka biriyle olduğunu, olmaya başladığını öğrenmen ya da 'ben gidiyorum' cümlesini onun sesinden duyman gibi...

Her ilişki, her insan özeni, ilgiyi, güzel enerjilerle beslenmeyi hak ediyor. Onları veremediğinde ilişkinin de bir anlamı kalmıyor. Anlamak için, bunları göremediğinde senin hissettiklerini düşün."

Evlilik bir son değil. Atılan imzalar bir yaşamı hâkimiyetin altına ya da garantiye almak demek de değil.

Yaşamımızda ilişkilerimiz, evliliklerimiz geniş bir alan kaplıyor. Birçoğumuz için mutluluk da mutsuzluk da, yaşamımın ana hatları evlilikle şekilleniyor. Öyle ya da böyle çoğunluk bu yoldan geçiyor. Her insan evlenmek zorunda mı? Hayır. Kâğıt üzerinde böyle. Pratikte ise buna hayır demeyi göze alıp, yaşamayı seçen çok az.

Bugün evli olanlara "Niye evlendin?" diye sorduğunda ilginç cevaplar alabilirsin. Ben işim gereği her gün alıyorum. Bekâr olanlara "Niye evlenmek istiyorsun?" diye sorduğunda da ilginç cevaplar alırsın. İmza atmadan uzun süreli beraber olanlar, aynı evi paylaşanlar da benim için evli sayılır. O yüzden evliliği ve uzun soluklu ilişkileri çok ayrı tutmuyorum.

Bugün milyonlarca çift mutsuz bir evlilik sürüyor. Kadın tarafı, çoğunlukla ilgisizlikten, kendini kadın gibi hissedememekten, kocasının aldatmasından veya olasılığından, kendini evde sıkışmış hissettiğinden (özellikle çalışmayanlar) dem vurarak mutsuz olduklarını ifade ediyorlar.

Baştan başlayalım. Niye evleniriz? Önce benim için doğru cevabı vereyim. Kendi yaşamında ne istediğini bilen, kendini tanıyan bireylerin, birbirlerini maskesiz tanıyacak zamanı geçirdikten sonra sevdiği, arzuladığı, ortak hayallerinin birleştiği insan ile yaşamı paylaşmak, beraber yürümek için bir çatının altına girmeye karar vermesidir. Bu kararıyla da tek eşliliği seçer. İnsan çokeşlidir, tekeşlilik bir seçimdir. Bir de diyebilirsin ki maskesiz nasıl olacak? Önemli olan rolleri hiç değilse evlenirken bırakabilmek. Sırf karşındaki seni seçsin diye olmadığın birini oynarsan er ya da geç takke düşer kel görünür, yaşanan büyük bir hayal kırıklığı olur.

Herkes böyle evlenmiyor. Bir yanda evlendiği gün hiçbir heyecan hissetmeyen o kadar çok evli çift var ki. Bir yanda daha kendinin ne istediğini anlayamadan, kendini tanımadan, yaşamdan ne beklediğini bilmeden gencecik yaşta evlenenler. Bir yanda görücü usulüyle evlenenler. Bir yanda evde kalmamak için evlenenler. Bir yanda cinselliği legal yaşamak için evlenenler. Bir yanda aile ortamından baskısından kurtulmak için evlenenler... Bir yanda çocuk gelinler. Bir yanda töre, aile baskısıyla zorla evlendirilenler. Bazılarında dayatma, bazılarında mahalle baskısı, bazısında başka bir alternatifin var olmayışı. Okudun, ettin, hadi bakalım evlen. Bu paragrafta sayılan tüm örnekler baştan yanlış, eksik başlamış evlilikler.

Varsayalım ki muhteşem bir evlilik başladı. Nasıl yaşamda hiçbir şeyin garantisi yok, evliliğin ölene kadar, hatta beş on yıl sürmesinin de bir garantisi yok. Her iki taraf için de yaşamda beklentiler değişebilir. Kişilikler farklılaşabilir. Dönüşümler yaşanabilir. Bir bakarsın iki farklı insan olmuşsunuz tanıştığınız günden o güne. Evlilik, iki bireyin yan yana yürüdüğü bir süreç. Bireysellikleri öldürdüğün anda evliliği tüketmeye başlarsın.

Öncelikle dikkatini çekmek istediğim şey, bir şey bitmişse bitmiştir. Tükenmişse tükenmiştir. Motor yandıysa yanmıştır. Motor yanmadan müdahale ederek kurtarabilirsin ama kamyon devrildikten sonra yapacak bir şey kalmaz. Saygı, sevgi, heyecan, her şey bittikten sonra toparlayacak bir şey kalmaz. Sadece katlanılan, iki tarafın da birbirine zarar verdiği arada varsa çocukların da mağdur olduğu bir sürece dönüşür. Hiçbir şey zorlayarak sürmez. Hiçbir evlilik çocuk yaparak kurtarılmaz. Çocuk mutlu, huzurlu evliliğin mucizesidir. Evliliği kurtarma aracı değil ki...

Artık ilgi tükeniyorsa, sevgi kardeşliğe, dostluğa dönmüşse, cinsellik bir görev gibi yaşanıyorsa, sudan sebepler kavgayı getiriyorsa en güzel başlamış evlilik bile sonuna gelmiş demektir artık. Biz bunu kabullenemeyiz. Çünkü karşımızdaki insanın ilk hallerinden kopamayız, onu geri isteriz. Ancak karşımızdaki insan artık o insan değildir. Sen bile bu kitabın ilk sayfalarındaki senle, iki gün önceki senle aynı sen değilsin. Her an değişiyoruz. Her an bize bir şeyler katıyor. Peki evlilikler nasıl bu hale geliyor? Nasıl kendimizi bağlanmış, sıkışmış, zorunluluk gibi bir ilişkinin içinde buluveriyoruz. Şimdi sonlanmış ya da sonlanmakta olan mutsuz evliliklerde ana paydaları toparlayarak seninle paylaşıyorum.

Bir kere en baştan kurallara boğarak tüketmeye başlıyoruz. İstiyoruz ki karşımızdakinin hayatında sadece ben olayım. Bir insan bir insanın her şeyi olamaz. Her iki tarafın kendi nefes alanı, bireyselliğini yaşadığı alanlar olmazsa havasızlıktan boğulur iki taraf da.

Geleneksel aile yapısı ise başka bir evlilik anlayışı. Benim kabul edemeyeceğim, etmediğim. Kadının sanki erkek tarafından alındığı, kadının birinci görevinin erkeğe hizmet etmek olduğu, tamamen erkek egemen bir birliktelik. Kadın, erkeğin uydusu. Ütü, bulaşık, çamaşır kusursuz olacak. Çocukların tüm ağırlığını kadın çekecek. Erkek, kadının çalışmasına izin vermediği için bir ekonomik bağımsızlığı olamayacak. Aile yapısına göre belki kadın öğrenimini bile tamamlayamamış olacak. Tamamen erkeğe bağımlı, erkeğin ekseninde bir yaşam. Romantizm, kadının değerli hissedilmesi, kadını önde tutacak bir cinsel yaşam söz konusu bile değil. Evdeki erkeğin kontrolündeki kadın. Yeri geldiğinde fütursuzca şiddet uygulayan erkek. Burada konuşulacak bir şey yok. Bu her birimizin, kadın erkek hepimizin mücadele etmesi gereken sosyal bir yara...

Kadınlar hayatın ritmini daha iyi anlıyor. Ritmi yakalayamayan erkekler ritmi değiştirmeye çalışıyor. Yaşam ayrılık değil, birlik olmak üzerine kuruludur. Ayrılıkta güç savaşı başlar. İçsel güç, bireysellik ve ayrılıktan gelmez. Evliliğin güzelliği ve başarısı da birliktelikten, aynı frekansta olmaktan ve karşılıklı sevgi/saygıdan doğar. Ataerkilde güçlü olan haklıdır, bu yüzden erkek her koşulda haklılığını sağlama almak adına yeri geldiğinde şiddeti de kullanıyor.

Dünya'da 1 milyar kadının kadın hakları için, kadınların seslerini duyurmak için gerçekleştirdiği etkinliğe Türk kadınları benim beklentime yaklaşmasa da iyi bir destek verdi. Tam o dönemde *Posta* gazetesinde yazdığım yazı aslında yaranın farklı boyutlarını ortaya koyuyor:

Erkek egemen toplum kadını bastırıyor. Kitabın farklı yerlerinde bu perspektifte mesajları göreceksin. Kendini bulan, tanıyan, ekonomik özgürlüğe sahip, yaşamında evlilik dışında bir hayatı da olan kadınlar arttıkça, evliliklerin de kalitesi artacak. Ancak mevcut sistem buna izin vermiyor. Dünya Kadınlar Günü için

Posta gazetesinde yazdığım yazıyı ne demek istediğimi özetleyebilmek için seninle paylaşıyorum. Bugün hâlâ kadının sadece kıyafetine, çalışıp çalışmayacağına, eğitim alıp alamayacağına, namusunun derecelendirmesine, hatta kaç çocuğu olacağına kadar çok fazla alanda erkek adil olmayan bir şekilde karar verici rolünü üstleniyor. Böyle bir ortamda yukarıda anlatmaya çalıştığım evlilik gibi evlilikleri yaşama şansı kalmıyor.

"1 milyar kadının dans etme eylemi, duymamız gereken bir çığlık... Kadınlar yorgun, kadınlar kayıp, kadınlar yaşayan ölü... Dünyanın dört bir yanında on milyonlarca kadın bir şekilde kader birliği yapıyor...

Savaşlarda tecavüz edilen, erkek egemen toplumda yaşamın dışına itilmeye çalışılan, okuma hakkı, seçme hakkı elinden alınan kadın... İş hayatında daha fazla mücadele etmek zorunda kalan, çocukluğunda en yakınlarından başlayarak tacize uğrayan, saçıyla kıyafetiyle uğraşılan yine kadın... Kocasına verdiği hizmet ile 'iyi ya da kötü' ilan edilen, eğlenilecek/evlenilecek olarak ayrıştırılan, tüketim dünyasının tüketim ikonuna dönüştürülen, fuhuş ticaretinde eşya gibi alınıp satılan... Sessiz çığlık, dansa dönüşürken, bir kısım medya dans eden kadınları da 'kötü kadınlar' arasına kattı... Ne de olsa kadının sesi çıkmamalı kadın erkek egemen toplumun egemenciklerinin önüne geç-

memeli. Erkeğin, 'sözde' üstünlüğünün kâğıt perdesi yırtılmasın.

Bir yanda 1 milyar kadın dans etmeye çalışılırken, yine bir kısım medya, farklı bakanlıkların çocuk sahibi olmayı teşvik edici çalışmalarını öyle bir verdi ki, sanırsınız annelerden değil, damızlık geliştirme çalışmalarından bahsediliyor. Her şeyden önce çocuğa can verme hakkında öncelik onu taşıyıp, dünyaya getiren anneye ait.

Sanki sorun sadece para ve annenin aynı zamanda kariyer yapma arzusu. Yani bir başka ifadeyle kariyer, annenin lüksü. Olurken, babanın böyle bir tercihe ihtiyacı yok. Bugün 5 çocuklu geleneksel yapıda bir ailede babanın yaşamında pek bir şeyden vazgeçmesi beklenmiyorken, anne neredeyse her şeyden vazgeçiyor. Ne kendine ayırabileceği bir zamanı kalıyor, ne öğrenimini tamamlayabileceği alanı, ne de başka bir şey. Varsa yoksa çocukların büyümesi, kocanın ihtiyaçlarının giderilmesi, evin dirlik düzeninin sağlanması. İşte kadına biçilen rol bu. Kadını bu kalıba sokan zihniyetin tüm dünyadaki kalemleri için söyle bir başlık daha hoş olurdu elbet: 1 milyar damızlık kadın! Haberin içeriği ise şöyle olabilirdi:

'Dünyanın dört bir yanında 1 milyar kadın daha fazla çocuk doğurabilmek, kocalarına daha iyi hizmet edebilmek adına çözüm önerileri geliştirmek için toplanıyor. İşlerinden, okullarından ayrılan kadınlar, küçük yaştaki kızlarının da daha iyi bir eş olması için ortak bir yol haritası oluşturuyor.'

Açıkçası kimin ne kadar çocuk yapıp yapmayacağı ilgimi çekmiyor. Ancak bunu kadının da özgür iradesine dayalı olup olmadığı önemli. Öte yanda dünya kaynakları hızla tükenirken, suç ve göç oranları hızla artarken daha fazla çocuğa nasıl bir gelecek hazırlandığı konusu da ayrı bir dosya. Bugün, dünyanın dört bir yanında açlığın, savaşın, felaketlerin gölgesinde milyonlarca çocuk ya ölümü bekliyor ya da hiç gelmek istemeyecekleri bir yaşam önlerine konuyor.

1 milyar kadının dansına 1 milyar da erkek katılırsa çok daha anlamlı olacak. Ben kendi adıma, 8 Mart Dünya Kadınlar Günü için bu organizasyona yerel bir organizasyonla katılacağım. Hepimize, kadın erkek ayırmadan çok iş düşüyor. Medeniyette tavana vurduğumuzu sandığımız (?) bir dönemde, kadınların sesini duyurabilmesi için bu organizasyonların gerçekleştiriliyor olmasından önce insan, sonra erkek olarak utanç duyuyorum. Lakin şu anda laf değil, eylem zamanı..."

Benim için ideal olanın altını tekrar çizeyim, kadın ve erkeğin kendi yaşamlarından vazgeçmediği ortak bir hayatı paylaşmak. Sevgi, arzu ve saygı üzerinde temellenmiş bir birliktelik. Ortak hayaller, ortak anılar.

Farklılıklar olacak. Erkek futbol maçına gittiğinde kadın arkadaşlarıyla dışarı çıkabilir. Biri kitap okurken, diğeri film izler sonra yatağa sarmaş dolaş giderler. Ancak, biri diğerini hayatının odağına geniş bir küme olarak yerleştirdiğinde sorunlar başlıyor. Örneğin kadının hayatındaki en önemli şey evlilikse, erkeğin hayatında ise evlilik önemli birkaç şeyden bir tanesiyse kadının hayatında erkekten beklenti yükseliyor. Erkeğin en ufak bir surat asması, ilgi göstermemesi, eve geldiğinde yeterince konuşmaması kadının dert edeceği, kafasına takacağı bir sorun haline dönüşüyor.

Eğer hayatımda ilişkim, beklentilerimi karşılamıyorsa, bana acı veriyorsa, sıkılıyorsam, mutsuzsam ve karşımdakini de mutsuz ediyorsam, toparlama dönemleri de başarısızlıkla sonuçlanmışsa bir ilişki, bir evlilik neden sürer? İlişkiler, evlilik hayatımızda sorun yaratmak için değil, aksine hayatımı daha güzel kılmak için başlatmamız ve sürdürmemiz gereken paylaşımlarken çoğunluk kâbusu yaşıyor.

Kimi evlilikler aile baskısından, kimi evlilikler maddi bağımlılıktan, kimi evlilikler yenilik, değişim korkusundan, kimisi eşe dosta ne diyeceğiz endişesinden, kimisi alışkanlıktan sürüyor. Ancak iki neden var ki, hemen öne çıkıyor.

Birinci neden çocuklar. Kadınların, mutsuz evliliklere katlanıyor olmasının temelinde çocukları mağdur etme endişesi var. TUİK'in yaptırdığı araştırma sonuçları da bunu ortaya koyuyor. Ancak bir şey unutuyoruz. Mutsuz ailelerde büyüyen çocukların travmaları, boşanmış ailelerin çocuklarınkinden az olmuyor. Hele ki sürekli bir kavga gürültü, hatta şiddet olaylarının yaşandığı bir ailenin ortasında kalan çocuklarda.

Boşanmak da bir son olmak zorunda değil. Mutlaka kavga gürültü olması gerekmiyor. Yaşamlarımızda bir daha görüşmememiz anlamını taşımıyor. Bambaşka bir boyutta iletişim sürebiliyor. Zaten ortada çocuk varsa olması gereken de kaçınılmaz olarak sağlıklı bir iletişimi sürdürebilmek.

İkinci neden ise çaresizlik. Aileler çocuklarını evlerini açmıyor. Ekonomik bağımsızlık yok. Bir iş tecrübesi veya diploma yok. Bir de kocanın tehditleri var. Tam bu noktada devlete daha fazla iş düşüyor. Ancak, kolluk kuvvetleri dahi çoğu zaman erkek egemen topluma hizmet ediyor, koca dayağından kaçan kadını evine geri gönderiyor. Son dönemde arka arkaya çıkarılan yeni yasalar da uygulamadaki aksaklıklara ve yetersizliklere takılıp kalıyor.

Kolay değil bir zamanlar senin için her şeyi yapan, peşinden koşan, seni bulutların üzerine taşıyan erkeğin artık olmadığını anlamak. Karşında bambaşka biri. Sana sarılırken, sevişirken, kapıdan girip çıkarken. Kolay bir şey değil, seni seven kadının artık heyecanlanmadığını hissetmek. Sorunlar bir kere sulandırıldı mı sonrası mutlak net müdahaleyi gerektiriyor. Aynı şeyleri sürekli, tekrar tekrar konuşmak bir şeyleri çözmüyor, aksine derinleştiriyor. Belki de kısa zamanda aşılacak bir sorun uzadıkça uzuyor, kalıcı hale geliyor. Bu konuları aşmak da kolay olmuyor. Örneğin kocasını sürekli ilgisizlikle suçlayan bir kadının kocası, sonrasında o ilgiyi göstermekte daha da zorlanıyor. Sanki karısı onun zorla bu ilgiyi gösterdiğini sanacak endişesini taşıyor ki bu endişe çok da haksız sayılmaz. Eksileri, ters gidenleri, sorunları konuşmak yerine ilişkiyi ayakta tutanlara, artılara odaklanmak belki de neden bir ilişki yaşadığımız neden birlikte olduğumuzu bize hatırlatabilir.

"Ne olur biraz anlasan. Hırçınlaştığım anların, kontrolümü kaybettiğim zamanların, kabuğuma çekildiğim günlerin aslında benim çığlığım olduğunu bir duysan. Her an senin beklediğin gibi olamam ki, itaat edemem ki... Kendi denizimde boğulurken sen de el uzatmazsan, sen de dinlemezsen bil ki ellerinle beni suyun dibine gönderiyor, içinde sıkışıp kaldığım karanlık zindanımın kapısına bir kilit de sen vuruyorsun. Seni kırdığımı sandığın anlar, sebepsizce sarılmanı beklediğim anlar... O anlarda bir çift sözün yetiyor beni yakıp yıkmaya, sonra sayfalar yazsan ne fayda... İşte böyle kopuyor zamanında birbirine bağlanmış ruhlar, böyle sona eriyor en güzel başlangıçlar. En yakınımda, içimde olan yavaş yavaş bir yabancıya dönüşüyor. Ben kaybolurken, biz de kayboluyoruz."

Ve dulluk. Bunun için bir şeyler yazmak zorunda his-
setmek bile utandırıyor beni. Bir kadının boşanması,
yeni bir ilişkiye kadar dul olarak devam etmesi bir ayıp,
bir başarısızlık, bir namussuzluk değil, bir kadının tüm
baskılara karşın cesaretinin bir yansıması. Bazen ne acı
ki, kadının yanında kadının yeri olmuyor. Evli kadın-
lar, dul arkadaşlardan, dul kadınlardan rahatsız oluyor.
Bunun üzerine birkaç cümle yazmak bile bu kadar say-
fadan sonra gereksiz.

Son dönemde aile, ilişkiler, ebeveyn ilişkileri konu-
sunda çok yoğun bir çalışma dönemi geçirdim. Birçok
evlilik düzelme yoluna girerken, bir o kadar da evlilik
sorunsuz bir şekilde sonlandı. Bazı ilişkiler, evlilikler
gerçekten de üçüncü bir göz yardımıyla toparlanabi-
lirken, her şeyin çoktan bittiği evliliklerde doğru bir
strateji, yol haritası ve cesaretle bir an önce noktala-
mak gerekiyor. Bir şeyi çok iyi anlamak gerekiyor ki
her ilişkinin, her evliliğin kendine özgü bir dinami-
ği var. Başka ilişkilerle kıyaslayarak, başka ilişkilerde
işe yaramış formülleri uygulayarak sorunlar aşılmıyor.
Bazen göz önünde hiç olmayan bambaşka nedenler-
le, sorunlarla karşılaşılabiliyor. Aile, sosyal yapıdaki
kanayan yaralar üzerine farklı platformlarda çok şey
paylaşıyorum. Bu konuda da birkaç ciltlik bir malzeme
elimde birikti. Ancak yeri bu sohbetimiz değil. Hatta
fazla bile uzattık.

Benim için önemli olan yaşamında evliliğe yer açıyorsan bu seni yok eden değil seni besleyen olmalı. Evlenmiş olmak için evlenmek son derece yanlış. Duyguların ilk yoğunluğuyla böylesi ciddi kararlar vermek de öyle. Eğer evliysen ve bugün evliliğin artık bir kangren noktasına geldiyse de neyi bekliyorsun? Tüm bedenini, ruhunu, zihnini kaybetmeyi mi? Evlilik hamurunda yoksa, evlenmek zorunda da değilsin. Eksik kalmayacaksın evlenmediğin için.

Evlilik, ilişki hayatının tamamı değil; bir bölümü. Edindiğim tüm deneyim ve gözlemler diğer seçeneğin er ya da geç sorunları beraberinde getirdiğini gösteriyor. Evlilik tüm hayatın olamaz. Bireysellik bittiğinde, karşı tarafın da tükenişi başlıyor.

Bazen de beraber olduğumuz insanı değil, beraber olduğumuz insanda yarattığımız hayali seviyoruz. Görmek istediğimiz gibi görüyor, duyduklarımızı duymak istediğimiz gibi yorumluyor, bir gün istediğimi şekilde değişeceğine inanıyor, değiştirmeye çalışıyoruz. Sonu yine kaçınılmaz hayal kırıklığı.

Hepimiz, her alanda yanlış kararlar verebiliyoruz. Kararının yanlış olduğunu da görebilirsin ya da bir zamanlar doğru olan kararının koşulların artık değişmiş olduğunu da. Bir kez daha hatırlatıyorum her an sıfır kilometre.

Buraya kadar bölümleri okuyan biri olarak sana söyleyeceğim, eğer yukarıdaki sayfaları sindirebilirsen, hayatına geçirebilirsen zaten nasıl bir ilişki, nasıl bir evliliğe ihtiyaç duyduğunu da kolaylıkla görebilirsin. Sonrasında da buraya kadar olan bölümleri yaşamına sokmuş birisi, sonraki süreçlerde gerektiği zamanlarda gerekenleri yapar, gerekeni yaşar, yaşatır.

Evlilikten, ilişkilerden olması gerektiğinden çok daha fazlasını bekliyoruz. Kendimizi ilişkilerimiz aracılığıyla gerçekleştiremeyiz. İlişki, evlilik her şey değil, tamamlayıcı bir parça. Karşındaki insanın her şeyin olmasını bekliyor, hayatını ona bağlıyorsun. Bazen karşındaki için hayatından, kendinden vazgeçiyorsun. Bu ikini için de haksızlık. Kurallarla, şablonlarla, kişisel eksenimizde dönen beklentilere karşımızdakini veya kendimizi uydurmakla gerçek ilişkileri bulamaz, yaşayamayız. Hep bir şeyler eksik kalır.

Nasıl kendini yaşayamadıkça yaşamın hep eksik kalıyorsa, sen ya da karşındakinin törpülendiği bir ilişkide de bir şeyler hep eksik kalacak. Atmosferdeki ozon tabakası gibi, her gün biraz daha büyüyen bir kaçak, yırtık olacak. Kendinden vazgeçmişliğin, kendine ihaneti, karşındakine güvensizliğe dönecek. İki yarımdan bir tam olmaya çalışmak değil, iki tam elmadan birlikte, yan yana iki elma yaratmaktır gerçek ilişki. Sen tamamlanmadan, ilişkin de tam olamaz. Karşındakini sen tam yapamazsın. Döner dolaşır, özüne döner. Senin olmasını istediğin insan olmayı çok istese de, olmadığı bir şey olamaz. Bazı ilişkiler böyle biter.

"Uzun süreli ilişkiler, evlilikler prangaların takıldığı, kısıtlamaların arttığı, hâkimiyet savaşının yaşandığı süreçlere dönüşmeden, gerçekten iki tarafında ne istediğini bilerek, önce kendine sonra karşısındakine güvenerek yaşadığı, hayatı anlamlandıran süreçlerin dışına taşmamalı.

Kendine bak, hayatına bak, hayallerine bak, nasıl bir ilişki yaşamak istediğini tanımlamaya çalış ve sana, yaşamına, hayallerine uygun bir ilişki sana gelecek. Senin koşmana bile gerek yok. Her ilişki yıllarca sürecek diye bir garanti de yok. Bugün yakalıyorsan senin için iyi bir ilişkiyi bugünün tadını çıkar; bugün sarıl, bugün hisset, bugün seviş, bugün paylaş. Sevgiyi, tutkuyu tüketenlerin ne olacağını bu bölümün en başında seninle paylaştım.

Aile olmak, taşlar yerine doğru oturduğunda çok güzel. Sadece bir evde yaşayan ve kan bağı olan birkaç kişinin yaşadığı ev olmaktan çok öte.

Gün içinde ne kadar çok şey yapıyoruz, nelerle uğraşıyoruz? Sürekli bir koşuşturmaca, kovalamaca. Toplantılar, hazırlanması bitmesi gerekenler, tahsilatlar, sunumlar, müşteriler, yöneticiler... Hava kararsın, iş bitsin de eve gidelim. Yuvamıza dönelim. Kapımızı kapatıp, kendi dünyamızda olalım.

Gün bittiğinde eve gittiğimde beni bekleyen ne? Çocukken floresan ışığı kâbusumdu. Belki de benim

için yoksulluğun simgesi olmuştu. Merdivenleri gı-
cırdayan, sıvaları yer yer dökülen eski bir apartman.
Çocukluk korkularımdan biri, o evde bir yangın
çıkmasıydı. Ne de olsa sokak kapısından girdiğimde
apartmanda beni ilk karşılayan birbirine dolanmış
kablolarla bezenmiş elektrik sayaçlarıydı. Bir gün alev
alır diye korkardım. Evin içindeki eşyalar da son de-
rece mütevazı, işlevseldi. Üzerine vurduğunda görün-
tüsü düzelen televizyon, aile üyelerinin sayısını tam
karşılayan koltuk takımı, merdaneli çamaşır maki-
nesi, su akıttığı için sık sık kullanım dışı kalan eski,
perdeli küvet...

Bugün çocukluk anılarıma baktığımda ise gülüm-
süyorum. Mutlu karelerle dolu. Dökülmekte olan evi
anlamlı kılan annemin sarışı, babamın zile basışıydı.
Anneanne, dede, hep birlikte ailece oturduğumuz
akşam yemekleri, salonun gürültüsünde bir köşede
kitabımı okumaya çalışırken sütümü getirip, yanağı-
mı sıkan annem, gecenin bir saati kapıyı çalıp elinde
kurabiyelerle gelen komşular... Her gece uyumadan
sarıldığım yatalak anneannemin zar zor boynuma ko-
yabildiği öpücükler...

Yıllar geçip gitti ve gidiyor. Akşam olup da eve gir-
diğimde yeni eşyaların, son model televizyonun, kon-
forun bir şey ifade etmediğini öğrendim. Neredeyse
evlerde, teknoloji harikası eşyalar birbiriyle konuşur
hale geldi. Yüksek fiyatlı olmasa da konforlu evlerle

tanıştık. Asansörlü, kaloriferli evler, beş yüz kanallı televizyonlar... Hiçbiri evi ev yapmıyor.

Evde beni bekleyen, yüreğimi ısıtan, yaşadığımı hatırlatan değerler olmadıkça otel ya da ev ne fark eder?.. Belki seni kucaklayan bir sevgili, bacaklarına yapışan bir çocuk, sevinçten kuyruğunu nasıl sallayacağını şaşıran bir köpek... Seni bekleyen... Seni özleyen... Belki yaşlı bir anne, belki hasta bir yürek... Yaşamını anlamlandıran, dışarıdaki dünyaya kapını kapattığında seni kucaklayan, özelini yaratan...

Unutuyoruz değil mi? Gecenin bir yarısı işten eve dönüp, ya yatağa atlıyoruz ya da televizyonun karşısında koltuğa gömülüyoruz. Evlerimizde, turist gibi yaşıyoruz. Daha kötüsü, içindeki değerlere de, gereken zamanı, özeni veremiyoruz. Daha lüks bir evde oturabilmek ya da oturamayacaklarımızı da satın alabilmek için, evi ev yapan gerçek değerleri unutuyoruz.

Evi ev yapan duvarlar, içindeki eşyalar değil ki... Evi ev yapan, içinde seni bekleyenler."

Bunu yakaladıysan değerini bil, tadını çıkar. Henüz yakalayamadıysan neyi aradığını biliyorsun.

Kısa Bir Mola

"Gerçekten yaşıyor musun?" diye zaman zaman kendime de soruyorum. Benim de arayışlarım, düşüşlerim, dibe inişlerim var. Şimdi biraz da kendimi açmak, içimi dökmek istiyorum. Ne çıkacak inan ben de bilmiyorum. İçimden gelenleri düşünmeden ardı arkası sana yazıyorum.

Yaşamak çok güzel. Seviyorum. Belirsizlikleri seviyorum. Yarın ne olacağını bilmemeyi seviyorum. Kaçınılmaz planlarım var, saplantılarım yok. Hayallerim var, eninde sonunda ulaşacağımı bildiğim hayallerim ama yolculuğun nasıl olacağını bilmiyorum. İşte bu çok heyecanlı, çok keyifli.

Az önce kitabı tamamlamak için kapandığım odanın şöminesini yakmaya çalışırken odayı dumana boğdum. Sonunda yandı ama odada hâlâ keskin bir is kokusu. Yalnız olmak, yalnız kalmak iyi geldi. Aslında pek de yalnız sayılmam. Sonuçta sen sürekli benimlesin. Bu kitap seninle dördüncü buluşmamız, beşinci buluşmamız farklı olacak. Bazı sayfalarda mesaj verme kaygısına kapılıyorum, paylaşabildiğim kadar çok şey paylaşmak istiyorum. En sevdiğim plansız, programsız, konusuz seninle konuşmak. Satırlarda buluştuğum birçok dostla fiziksel olarak da buluştum. Yanılmamışım, senin anlatacaklarını dinlemek de çok keyifli. Belki bir gün seninle de buluşuruz. Neden olmasın ki? Yaşamın bir anında, bir yerde yan yana gelebiliriz, gelmemiz gerekiyorsa geliriz de zaten.

Gecenin bu saatlerini seviyorum. Karanlık çöküyor, sessizlik basıyor. İyice yayılıp, yazmak. Bunu yapamazsam gerçekten yaşamayacağım kesin. Biriktirdiklerimi, deneyimlediklerimi paylaşmak, fark edişlerimi, önüme gelen çözümleri sana uzatmak çok değerli...

Önceleri çok düşündüm, kitaplar yayımlanmaya başladığında, neden bunu yapıyorum diye... Kendimi kenara çektim. Anlamak istediğim bir şey vardı. Kendi egomu tatmin etmek, insanları hayran etmek, bundan beslenmek için mi, yoksa gerçekten paylaşmak için mi? O dönem her şeyi durdurdum. Atölyede buluşmalar durdu, yazmak durdu, kitap basılmadı. Bekledim. Emin olmak, devam edeceksem birinci şık için olmadığına emin olmak için bekledim.

Yaşamıma belli dönemlerde, çok değerli insanlar girip çıktı. Hayatımın akışını ciddi anlamda değiştiren karşılaşmalardı bunlar. Tesadüf değildi, hata insanüstü güçlerin parmağı olan buluşmalardı. Türkiye Ermenileri Patriği Mesrob Mutafyan en öne çıkanıydı. İnsan ötesi bir varlık. Abartmıyorum. Keşke tanıyabilseydin.

Ne yazık ki artık tanıyamayacaksın da. Hayatımdan çıktığında içimde derin bir boşluk oluşmuştu. Derin bir boşluk. Kısa bir savruluş.

Bir gece kulağıma "Çağrını dinle. Peşinden git" demişti. Yolculuğumun niye devam edeceğini anlamaya çalıştığım süreçte Kekova'da bu cümle rüzgârda kulağımda yankılandı. İnsanlarla konuştuğumda, gülümsediğimde, yüreklerine dokunabildiğimde yaşadığımı hissettiğimi anladım. Apar topar İstanbul'a dönüp tam gaz atölye çalışmalarını yeniden başlattım, *Bir Nefes İstanbul*'u yazmaya başladım. O günden beri hiç durmadım. Enerjim hiç azalmadı. Bazen insanların içinden çektiğimin, dinlediklerimin yükü ağır oluyor. Ben de onların sıkıntılarına ortak oluyorum. Onlar biraz olsun rahatladıklarında, çözümlerine ulaştığında öyle bir ferahlık oluyor ki, burnun tıkalıyken ağzına on tane naneli şeker atmak gibi bir şey. Benden çok genç dostlar boynuma atladığında, annemden büyük dostlar kulağıma dualarını, içten kopup gelen cümlelerini fısıldadıklarında yaşadığıma şükrediyorum. Belki haddime değil ama her geçen gün sorumluluğumun daha çok arttığını hissediyorum. Daha çok insana ulaşmak, daha fazla yüreğe bir nefes verebilmek...

Benim de bir hayatım var. Ailem var, eşim var, dostlarım var. Pırlantalarıma daha bir sıkı sarılıyorum, hayallerimin peşinde koşarken. Yanımda olan dostlar, çalışma arkadaşlarım, hepsi çok özel. Hepsi sevgi dolu.

Ulaştığım insanlar çoğaldıkça, bir çocuğun hayal kurduğu oyunu oynaması gibi bir şey hissediyorum. Hani çocukken evde oturup maç seyrederken, gönderdiği taktikleri duyup takımın gol attığına inanan çocuktan biraz farklı... Aslında şöyle bir şey:

Gece çöktüğünde, etlerim sızlamaya, yüreğim coşmaya, her bir hücrem ışıldamaya başlıyor. Kıyafetlerim dolaba gidince, odamın tek ışığı masa lambasının aydınlığında parmaklarım beni kâğıda döküyor. Yavaş yavaş ruhum odamı dolduruyor, pencereden çıkıyor, şehre karışıyor, sınırları aşıyor, seni buluyor.

Kocası yatağında uyurken hayatına ah çeken kadına; elinde sazıyla sokakta üç beş kuruş para toplamaya çalışan yaşlı adama; ertesi sabaha sunumunu hazırlarken işini kaybetmekten korkan stajyer kıza; pavyonda konsomasyona çıkan genç kıza... Zamanında işini batırmış, şimdi sarhoş müşterisini bekleyen taksiciye; bir zamanlar çocukların koştuğu evde kocasıyla koltuğunda kahvesini içen, şimdi tek başına kocasının fotoğraflarından başka yoldaşı olmayan yaşlı kadına; anne babasının kavgasının dinmesini bekleyen korkmuş çocuğa; hastane soğuğunda gözlerini tavan dikmiş geçmişi yaşayan adama... Suriye'de, Filistin'de, evlerinden uzakta sabahı bekleyenlere; Afrika'da, Hindistan'da tecavüzün lekelerini silmeye çalışanlara; göçmenlere; elinde silahla neden dağda, çölde olduğunu anlamayanlara... Geceyi benimle aynı zamanda, aynı anda yüreği dağlanarak geçiren tüm insanlara karışıyorum.

Şu an ne kadar çok insan acı çekiyor, ruhlar kanıyor, mucizelere ihtiyacımız yok. Bir sarılış, bir dokunuş, anlayışla bakan bir çift göz, en yakından yardıma uzatan bir çift el. Biri travestiye iş verse, hasta yatağında bakan adamın ellerini sıcak iki el sarsa, çocukları evde fotoğraflara bakan anneye sarılsa. Birbirimizin, en yakınımızdakinin farkında ve yanında olsak herkesi bir parçaya dokunarak tüm tablo aydınlanacak. Ben de cümlelerimle bir neden yaratabileceğime, bir yüreği harekete geçirebileceğime inanmayı seçiyorum. Bir yüz gülümsediğinde, verdiği taktikle takımı gol atan çocuk gibi mutlu oluyorum.

Her şey tek birken, ben tek ve bir olamıyorum yine sen gibi. Kapılıyorum kendi fırtınalarıma. Yazarken yorulduğum anlar oluyor. Kendi kendimi yiyorum, o dinlendiğin anda üç beş kelime daha yazabilirdin ve o üç beş kelime beki bir yüreğin, bir çift kulağın ihtiyacı olan olabilirdi diye. Ben de tükeniyorum işte. Yetemiyorum. Yetemediğime kızıyorum. Doğru olmadığını bilsem de...

Yaşamın tuzaklarına, cehennemin ışıl ışıl renkli kapılarına takıldığımda, yolumdan kısa bir an bile olsa saptığımda hissettiğim şey hayal kırıklığı, kızgınlık, tükenmişlik oluyor. Güzeli görmem için çirkini tanımam, iyiyi anlayabilmem için kötüyü deneyimlemem gerektiğini bile bile... Tabii varsa...

Ben de yaşamak yerine işte böyle düşüncelere kapılıyorum. Yıllara baktığımda her geçen yıl, ay, gün daha az düşünüyorum. Yolculuk devam ederken, tekâmül yükseliyor yavaş yavaş... Boşluklar doluyor yavaş yavaş... İnsan kendini anlıyor, biliyor yavaş yavaş... Yaşam yolculuğu böyle devam ederken, bir anda mucize arayanlara, bir anda yaşamı çözmeyi umanlara, bir anda pozitif düşünmeye başlayıp özgüven, içsel karmaşa gibi sorunları çözmeyi umanlara şaşkın gözlerle bakıyorum.

Bazen sorulara cevapsız kalışım verilecek bir cevabın olmaması. Bazen kendime de veremediğim cevaplarım var. Günler geçip gidiyor, saat hiç durmuyor. Bugünün, şu anın, dünyanın, evrenin ötesinde mucize devam ediyor. Her şeyi kapsayan ve yaratan mucize.

Bir yanımda dünyanın getirdiği her şey bir yanımda gözle görülmeyen, bilinmeyen, her şeyin muamması, mucizesi, görünenin görünmeyenin ötesi ev sahibi.

Bir yanımda insanın yarattıkları, bir yanımda Tanrı, evren, Yüce Mimar, ne dersen de mucizenin kaynağı. Arasında köprü olan insan... Semazenin bir eli göğü, bir yeri gösteriyor. Da Vinci'nin tablosunda, bilimsel çiziminde kare ve daire de görüneni ve görünmeyeni simgeliyor.

Yaşayan ölüler bu gizemden, insandan koparak günlük yaşamın içine serpiştirilen insan üretimi hayallerin, kırıntıların arasında sıkışıyor. Daha fazla kazanmak, ünlü olmak, alışveriş yapmak, güzel olmak... Sebeplerini daha önce paylaştım seninle. Yine de seçimleri eninde sonunda biz yapıyoruz. Simülasyonun içinde kalabilirim ya da simülasyonun farkında olarak yüzümü gerçeğe dönebilirim. Düşünmeme, yol aramama gerek yok. Şu an yüreğin, her bir hücren sana kapıları açıyor. Biraz gözlerini kapat, biraz gökyüzüne bak, biraz nefes aldığının farkında ol. Yavaş yavaş sadece soluk alıp yaşamını sürdürenden çok daha fazlası olduğunu anlıyorsun. Tüm gizemin, evrenin içinde olduğuna, şifrelere sahip olduğunun farkına varıyorsun. Hallac-ı Mansur'un Enelhak derken aslında ne dediğini anlamaktan öte, hissetmeye başlıyorsun.

Güneş doğuyor, şehrin gürültüsü başlıyor. Odamdan içeri gün ışığı doluyor, köpeklerim yanıma koşuyor. Gün başlıyor. Otobüsler, taksiler, dolmuşlar, motorlar yolcularını alıyor, kepenkler açılıyor, insanlar yeni bir sabaha uyanıyor.

Uykusuz gözlerimle terasa çıkıp, günü, güneşi, insanları, dünyayı selamlıyorum. Yaşamak nasıl bir gizem. Bu gizemi ve içinde sürüklenmeyi seviyorum.

Varoluşun dayanılmaz ağırlığını hissetmeyi seviyorum.

Tek Yürekte İkili Delilik; "Öteki"

Evlilikte kalmıştık. Evliliklerin temel endişesi aldatmakta sıra... Bu kez aldatmaktan çok aynı yürekte iki aşkta, iki insanda... Hiçbir şey zorla olamaz. Sadece birisine verdiğin sözden dolayı sadık kalamazsın. Başkasına ihanet etmemek için kendine ihanet edemezsin. Birisini sözünü tutmaya zorladığında en az onun kadar sen de incinirsin. Karşındaki kişiyi sana verdiği sözü tutmaktan özgür bıraktığın anda sen de özgür kalırsın. Önce acı verir, yakar yüreğini. Ama sonra... Sen, sana verilen sözü karşındakine tutmaya zorladığında onuruna, özgüvenine, özsaygına nasıl zarar veriyorsun.

Aldatmak isteyen aldatacaktır. Ablukaya almak, kurcalamak, internet şifrelerini öğrenmek, sıkıştırmak, sorgulamak sadece süreci hızlandırır. İlişkiyi, aldatılma endişesi ve korkusuyla kirletmenin ötesine geçemeyiz.

Her insan, her an aldatılabilir. Benimle görüşen aldatılmış insanların 10'da 8'i eşimden böyle bir şeyi "asla" beklemezdim diyor. Neden? Bu garantiyi nereden alıyoruz? Çünkü insanı tanımıyoruz, insanı kabul etmiyoruz. Bu olasılığın gerçekliğini kabul ederek ilişkileri yaşayabilsek çok daha az aldatılmışlık ve aldanılmışlık yaşarız.

Ölümün yaşamın bir parçası olması gibi, aldatma olasılığını da ilişkinin bir parçası olarak kabul edebilsek, ne kendimizi garanti de görüp rehavete kapılırız ne de karşımızdakini garanti görüp enerjisini azaltırız.

Aldatmanın nedenlerini, yaşanmışlıkları önceki sohbetlerde uzun uzun konuştuk seninle. Bu kitapta da genel altyapısını yeniden konuştuk. Erkeğin cinselliğe, kadına bakışı, toplumun bakışı, yetiştirilme tarzındaki farklılık, ilişkilerdeki sığlık ve insan doğası aldatma fitilini ateşlenmeye hazır tutuyor.

İlişkilerin tıkanmışlığında, hayatın renksizliğinde kendini tamamlayamayan, ilişkisiyle bütünleşemeyen insan aldatma eylemlerinde heyecanın peşine düşüyor, beyhude bir renk arıyor, daha çok boğacak bir nefes alıyor. İlgisizlikten kaybolan kadın, kilidini açacak yoğun bir ilgiyle karşılaştığında, yeniden ya da ilk kez kendini kadın gibi hissetme olasılığında kapılarını açıyor. Erkek için de aynı şey geçerli ancak erkeğin kilidinin açılması mevcut düzende çok kolay; kilit zaten yarım yamalak kapalı.

Zina, aldatma zihinlerde başlıyorsa bugün ne kadar çok aldatan var demektir. Eğer Facebook'a bir flörtist bir yazışmayı, yapılan bir yorumu, sanal oyunlardaki sohbetleri de bu çerçeveye alırsak içinden çıkılmaz bir hal alır ki bu kadar da değil. Bir insanı kıskançlık çemberine almak, tekliğe vurgu yapmak bir süre sonra sıkıcı bir hal alır ve teşvik edici olur. Bu kadar üstüne düşmek, bu kadar kıskançlık emareleri göstermek karşı tarafın gözünde seni aşağı çeker. Bir anda karşındakinin Hint kumaşına dönüştüğünü görürsün.

Ardından tekdüzelik getirir. Rutine bağlanmış günler, sabah akşam ev ritüelleri, heyecansız, ilgisiz, anlamını yitirmeye başlayan iletişim. Tekdüzeliğin üzerine yaşamın da getirdiği siyah beyaz karelerin içinde küçücük bir renk bile nefese dönüşür. Önce küçük masumane oyunlar, sonra sürüklenmeler başlıyor. Bazıları anlık heveslerin ötesine geçemiyor, bazıları bir anda yaşamının parçasına dönüşüyor.

Çoğu zaman da bireyin kendi bölünmüşlüğü, tamamlanmamışlığı asıl yapılması gerekenden kolay, nafile oyalama yöntemlerine yolu açıyor. Alkol, uyuşturucu, kumar ya da başka tenler, başka bedenler, başka yürekler. Yeterince su içmemiş bir insan acıktığını zanneder, ama ihtiyacı olan yemek değil sudur. Ruhundaki yaraları, kendine dönerek veya asıl ihtiyacı olanı yapmak yerine afyona sarılmak gibi zevke, sefaya dönüyor. Tüketiyor. Hem kendini, hem hayatındakini, hem hayatına renk olarak kattığını. Alacağını aldığında da tükürüp atıyor. Buna yol açan boşluk kapanmıyor, daha da büyüyor. Bazı insanların fundamental öğretilere, tarikatlara yoğunlaşması da bu boşluktan olabiliyor.

Söylemeye çalıştığım şey aldatan kişi, eksikliklerini, ruhundaki yaraları, kendi kaybolmuşluğunu yanlı bir araç, yol seçerek kapatmaya çalışan kişi de olabilir.

Yine de biz bu kez seninle ağırlıklı olarak aynı yürekte iki aşkı, aynı yürekte ikili deliliği, toplum içinde "öteki" olarak adlandırılan (kaldı ki hangi taraf öteki, hangi taraf asıl o hiç belli olmaz) kaçamakları değil ilişkiye dönen birliktelikleri konuşacağız. Bazıları onlarca yıl süren yasak beraberlikleri. Yerden yere vurmamı bekleme benden, çünkü seninle paylaşacaklarım yerden yere vurulacak olan içi boş, seks odaklı, değersiz, duygusuz aldatmalardan çok farklı. Belki senin çevrende belki yaşanmışlıklarında teğet geçtiğin ya da içine düştüğün. Belki de şimdi ya da gelecekte. Toplumun her kesiminde, her sosyoekonomik sınıfta o kadar çok örneğiyle karşılaşıyorum ki... Bazılarında gerçekten içim parçalanıyor, bazılarında gerçekten "öteki"nin aşkına saygı duyuyorum. Önyargılarını bırakamazsan bu satırlara dayanamazsın. İnsanı unutursan bu satırları anlayamazsın.

Yaşam seçimlerden ibaretken bazı seçimler zordan daha zora dönüşür. Gün olur kalp ikiye bölünür. Sadece yüreğin değil, sen ikiye bölünürsün. Bir yanın bir bedende, bir yürekte; diğer yanın bir başka yürekte, bir başka tende...

Aldatmaktan başka, çok başka olur hislerin. Bir arayışın, bir heyecanın ötesinde önce duyguların karışır, sonra zihnin, sonra her şey... Nerede duracağını şaşırır, kocaman bir yalanın başrol oyuncusu olup çıkarsın. Dışarıdan bakan gözler için yargılamak kolaydır. Yerden yere vurmak, akıl vermek, ilk önce gelene sahip çık demek. Sen de bilirsin mantığın dediğini bilmesine de, ruhun "araf"ta kalması cennet gibi gelir yüreğinin bölünmüşlüğünde.

Bir yanda kurulu düzenin, alışmışlıkların, zamana yayılmış paylaşılmışlıkların... Verilmiş sözler, sana bağlanmış yaşamlar... Diğer yanda unuttuğun bir şeyler ya da ilk kez karşılaştıkların. Birisi ya geç kalmış ya da zamansız gelmiş. Kimi suçlayacağını bilemezsin. İlk geleni mi sonradan çıkıp geleni mi kararsız kalan seni mi? Bazısı yıllar öncesinden hortlayarak gelir.

Bugünün ikiyüzlülüğünü, metres zihniyetini, ucuz aldatışları unut. Burada konuştuğumuz gerçekten sevginin, duyguların, ilahi olanın ikiye bölünmüşlüğü. Erkek ya da kadının doyumsuzluğu, şımarıklığı değil...

Yanıt kolay görünür: Seç birini ve ilerle... Bir taraf tükenmiş olsa ne kadar kolay olur? Oysa sona ermiş olan bir şey yok. Yasak olanı önce bitirmeye çalışır insan. İçinde belki saf bir aşk vardır. Üzerine gitmek ister. Gidemez. Korkuları devreye girer. Numara yapmamaktadır. Derdi basit aldatmalardaki gibi kaçamak yapmak, gönül eğlendirmek değilken iki taraf da gerçekten acı çekmeye başlar. Bir yanda evliliğini taşıyan, bir yanda öteki olan. Bazı hikâyeler daha da karışık olur. İki tarafın da evli olduğu durumlar gibi.

Kendini zorlar insan. Uzaktan sevmeyi, dokunmadan hissetmeyi, unutmayı, yüreğinde tek bir sevgiyle evine dönmeye çalışır. Tekrar söylüyorum, burada duyguların gerçek olması halini konuşuyoruz şu an. Yoksa hem evli olayım, hem de sabit bir sevgilim olsun, ikisini de yürüteyim diyenler değil bu sayfaya konu olanlar.

Öteki olanın hissettikleri belki de daha zor... İstediği zaman arayamaz, sevdiğinin sesini duyamaz, sevgilisinin telefonunda erkek ismiyle kayıtlı olmayı bile sineye çeker. Ne örneklerle karşılaşıyorum. Gerçekten sevdiği adamın düzeni bozulmasın diye kendinden vazgeçenler biliyorum. Doğru ya da yanlış demiyorum. Şu an sadece tabloyu çiziyorum. Kendi düşüncelerimi biraz sonra yazacağım.

Sokaklarda el ele yürüyemezsin ya da uzaklara gidersin. Sarılıp doya doya sabahlayamaz, sıkışmış zamanlarda kalırsın. Haykırmak, kalabalıklara karışmak istersin yapamazsın. Uykuya daldığında yanındaki adamı uyandırıp, evine geç kalmamasını sağlarsın.

Birkaç ay öncesine kadar her "öteki"nin bir gün asıl olmak hayali kurduğuna inanırdım; kurmayanlarla karşılaştım, dinledim. Hem de onlarca yıl boyunca "öteki" olmayı seçenlere. Bazıları, asıl olduğumda her şey bitecek biliyorum dediler. Çünkü biz şu anı paylaşmaya âşığız. Aynı eve girdiğimiz an bugün asıl olanları ve yaşananları biz yaşamaya başlayacağız.

Bazısı da koşulları buna elvermez biliyorum. Ben de onu kaybetmemeyi seçiyorum. Benim olduğu kadarını da olsa kaybetmiyorum dedi. Bunu söyleyen kadın bahaneleri yutacak kadın değildi. Hikâyeyi anlattığında nadir gerçek değişmez koşullardan birinin içindeydi sevdiği adam.

Bazen gerçekten bir yüreğe iki aşk düşüyor. Evli olduğun insanı çok seviyorsun. Yaşamında bir şekilde girmiş olanı da çok seviyorsun. Alışılagelmiş aldatma durumlarında sebep bulursun, ilişkideki çatlakları görürsün. Bazılarında hiç çatlak yok, sorun yok. Gerçekten bir başka ruh gelip buluyor. Sakın büyük konuşma. Bir gün öteki de olabilirsin, sevgilini "öteki"yle paylaşan da ya da "öteki"yle evli olduğun insan arasında arada kalan da.

Bu konulara önce önyargısız yaklaşabilmek ve anlamaya çalışmaktan nedense kaçınıyoruz. Belki de çok korkuyoruz başımıza gelmesinden. Öteki olmaktan ya da ötekini bulmaktan. Yermek, ayıplamak çok kolay.

Bence er ya da geç bir seçim yapılmak zorunda. İkili deliliğin devam etmesi oyunun içindeki herkesi zedeleyen, yoran, yıpratan bir süreç. Hemen baltaları kuşanmayı da anlamıyorum.

Seçimi yaparken de yürek mi dinlenecek, yoksa koşullara mı bakılacak?.. Seninle birkaç tespitimi daha paylaşayım. Öteki ile ilişkisinde sonrası için güvence arayan çok insan var. Bunu samimi bulmuyorum. Gerçekten seviyorsan, gerçekten samimiysen bunu düşünmezsin. Kendini garantiye alıp düzeni bozmak hiç samimi değil.

Toplumun genel yaklaşımında, kadın erkek fark etmez "öteki"ne yüklenilir. O ayıplanır, o yerden yere vurulur. Ötekini hayatına sokan, yaratan kim? Ne de olsa bir günah keçisi aranır. Kaybetmekten korktuğun insanı daha fazla kirletmektense bir an önce dış kapının mandalı göstermek istediğine yüklenmek daha kolaydır. Bazen asıl sorumlu durumu izler ve beklenmeyen tarafı seçer. Bu kapaklar da bu sayfanın konusu değil.

Velhasıl bazen hayatında biri varken de aşk kapını çalabilir. Bunun eksikliklerle, fazlalıklarla bir ilgisi yok. Beni sıkıştırmak için bu konular konuşulurken şu soru gelir, sen de sorabilirsin: Senin eşin bir öteki yaratsa ve ona gitmek istese ne yaparsın? Zaten artık gitmek istiyorsa ne yapabilirim? Gerçekten sevdiğin insanın mutluluğunu mu mutsuzluğunu mu istersin? Kaldı ki, zarar versen, acı versen, intikam alsan kime ne fayda?.. Yanındaki insan gitmek isterken sırf baskıdan korktuğu için, sırf çocukları için, zorla, mecburiyetten seninle kalsa ne olur kalmasa ne olur... Benim için bu gitmesinden daha kötü. Bunu bile bile bir insanla beraber olmak, aynı yatağa girmek terk edilmekten, sevdiğini kaybetmekten daha ağır.

O yüzden sevdiğini tıpkı Osho'nun, Halil Cibran'ın söylediği gibi serbest bırak. Bırak seninleyken özgürce seninle olsun, zorla değil. Bırak yanındayken bil ki gerçekten seninle olmak istediği için seninle. Prangalar takmana gerek yok. Seninle olmayı seçen zaten seninledir.

Evli bir adama âşık olunmaz, evli bir kadın âşık olmamalı, hayatında biri varken başka bir aşk hayatına giremez demek haddime değil. Katılmıyorum da buna. İnsan ve aşka inanıyorum. Ancak... İkili deliliğin hangi bacağında olursan ol, uzatma. Uzatırsan anlayışım azalır. Bazı örneklerden asıl olan ötekini biliyor ama düzen bozulmasın diye görmezden geliyor. Çaresizlerden çok, rahatı geliri bozulmasın diye devam ediyor. Bu duruma da diyecek bir şeyim yok.

Bilmiyorum belki sen bu satırları okurken o üç bacaktan birini yaşıyorsun. Seni anlıyorum. Hem de çok iyi anlıyorum. Tek diyeceğim uzatma. En kötü sonuç bile belirsizlikten daha iyidir ya, inan bana zaman uzadıkça canın yanmadıysa da yanacak, yanıyorsa daha fazla yanacak. Olacak olan bugün olsun.

Kolay olmayacak sonlandırmak. Kolay olmayacak vazgeçmek. Eğer birleşmek üzere yola çıkıyorsak zorluklara, duyacaklarına, mücadele edeceklerine kilitlenme.

Hepsi geçer, hepsi gider. Sonlandırmak zorunda kalırsan hangi tarafta olursan ol zor olacak.

İlk günler çok canın acıyacak, hem de çok. Sadece bil ki her zaman her şey yolunda. Yeniden yüreğine güneş doğacak. Sadece senden istediğim, karar verirken, tek önderin yüreğin olsun. Sonra da kararının arkasında dur. Böyle bir durumda uygulayamayacağın her karar, arkasında duramayacağın her söz seni dibe çekecek, kendine saygını kendine sevgini törpüleyecek.

Ayrılığı Anlamak ve Kabullenmek...

Az ve öz ayrılık yaşadım. Az ve öz sevgiliyi yitirdim. Acıdı, acımadı dersem yalan olur. Ağlattı. Direksiyonun başında saatlerce şehirlerarası şuursuzca geliş gidişlerimi hatırlıyorum. Dur bak efkârlandım yine:))) Şaka bir yana artık anlıyorum. Kahvem bitti, şimdi bir kadeh şarap alıp geleyim. Gitme bir yere!

Geçmişinde kaybettiklerim hiç ummadığım anlarda su yüzüne çıkıyor. Yaşamın akışında kaybettiklerimden çok, bile bile kaybettiklerim acıtıyor canımı. Elinin altında olduğunu sandığın ve bir anda elimden kayıp gidenler... Bazen yüreğime taş basarak kaybetmek zorunda olduğumu kabul ettiklerim. Gözümden yaşlar süzülürken sırtımı dönüp gittiklerim, vazgeçtiklerim... Eski aşklar, eski sevgililer, eski dostlar... Kaybedilenlerin gözlerinde yıllar sonra gördüğün gülücükler mutlulukla acıyı aynı anda yaşatıyor. Onun mutluluğu, senin kayboluşun. Geriye dönemez, bir kez daha saramazsın. Sen, gecenin ayazında yalnızlığına sarılır, bugününe bakmaya devam edersin. Kırgınlıklarınla, gururunla, yalnızlığınla, kaybolduğun şehirle...

Aşkın soğuk girdabında, ayrılığın kavurucu sıcaklığında, zamansız yitirişlerin çaresiz yalnızlığında aklın düşüyor bir yüze, bir isme... Kilitleniyor tüm beden, zihin, duygular... Bir an bile hayata karışmak zor oluyor. Olmadık yerde, olmadık zamanda dönüp dolaşıp aynı isme, aynı yüze, aynı kokuya bürünüyor her şey... Kızsan nafile, isyan etsen beyhude... Tadı olmuyor onsuz içtiğin kahvenin, kokusu yetmiyor denizin, çiçeğin... Alışırım elbet yokluğuna, ne de olsa dünya dönüyor değil mi? Dünya dönüyor da ben dönemiyorum. Aklımın düştüğü boşlukta, sensizlikte, sensiz karanlıkta her şey duruyor.

Şimdi sana iki uzun mektup vereceğim. Birinde terk edilendim, birinde terk eden. Üzerinden yıllar geçse de –neredeyse on yıldan fazla–, bu mektuplar benimle, sadece benimle olacak. Acıtan anların hatırası olsa da, saklanmaya değecek kadar değerli ve acıttığı kadar güzel anlarla, anılarla yüklü... Ortak karar olduğunda bir sıkıntı yoktu zaten. Bizi yoran, ya terk etmek ya da terk edilmek.

Hazmedemediğim ise korkakça, yüzleşme cesaretini gösteremeden çekip gidenler. Bahanelerin arkasına saklanıp, karşısındakinin duygularını hiçe sayıp, bir elvedayı bile çok görenlere söylenebilecek bir kelime bile yok.

Terk eden benden mektup:

"Kendi girdaplarımda sürüklenmeyi, belirsizliğe koşmayı seçen benim. Küçük Prens'e imrenip, olduğum yerde kalamayan da, güvenli limanlarda duramayan da benim. Akvaryumdaki balık olmaktansa köpek balıklarıyla yüzmeyi, keşfetmek için Martı Jonathan'a özenip bilmediğim yollara giren de benim... Ceplerimdeki can kırıklarına karışan anılar var başka başka ruhlarda, acılar var yüreğimin dört bir yanında... Yapamam, kalamam, duramam... İçimdeki fırtınayı dindirdiğim anda yaşayamam... Bazen yanlışı seçtim, bazen yalan söyledim, bazen yitip gittim ama kimse için kötüyü istemedim. Aslında kabına sığamayan afacan bir çocuktan pek de farklı değilim.

Oysa şu anda kendimi sevmiyorum. Kendime kızıyorum. Taşıyamıyorum. Bir yanım delicesine sana koşmak isterken, bir yanım koşturmuyor. Seni uzun bir süre sonra evine bırakmadığım, senin çıkıp gittiğin gecenin ortasında amaçsızca araba kullandım. En sevdiğimiz şarkıları, senden uzaktayken bana seni yaşatan şarkıları dinledim. Yolda polis çevirdi, sana aldığım sevgililer günü hediyesinin fişi ruhsatı ararken torpidodan çıktı. Andan kopup gittim. Kolyeyi boynuna taktığın an ve sonra günlerce üzerinde gördüğüm tüm anlar canlandı. Polis sabırsızlıkla ruhsatı sorduğunda, camdan içeri dolan soğuk bedenimin soğukluğunun yanında sıcak kaldı.

Senden sonrası çok yeniydi, bana çok uzaktı. Hazır olabileceğim bir gün yoktu. Er ya da geç olması gereken, seni de beni de daha fazla yok etmeden benim elimden olmuştu. Sebebini biliyorsun. Belki çok boş geliyor sana, belki korkaklık geliyor, ama ben seni tüketmek istemedim, istemiyorum da. Şu an çok acıyor. Senin gözlerinde gördüğüm yaşlar, şu anda hissettiğini bildiğim duygular... Ağlıyorum. Usul usul değil, hıçkıra hıçkıra ağlıyorum. Harun Kolçak çalıyor. Seninle dinlediğimiz, Harun'u Harun yapan şarkılardan biri çalıyor.

Yarın sabah senden mesaj gelmeyecek biliyorum, atmayacaksın. Attığında da cevap vermeyeceğimi bildiğin için atmayacaksın. Öyle ya da böyle yarın sabah senden mesaj gelmeyecek. Bana aldığın hediyeler —ki bir tanesi sende kaldı— gözümün önünde olacak yarın. Onları saklayacağımı biliyorsun. Bu mektubu sana gönderebilecek miyim onu da bilmiyorum. Sen oku diye yazmıyorum, şu anda yazmadan duramıyorum. Seninle konuşmaya ihtiyacım var. Şu anda sanki seninle konuşuyormuş gibi yazıyorum. Seni arayıp konuşmamın önüne geçiyorum. İlk kez böyle bir ayrılık yaşıyorum. İlk kez de böyle bir aşk yaşamıştım zaten. Tek tek, ilk günden bugüne kareler geçiyor gözümden. Aslında süre çok uzun değil ama yaşananlar çok yoğun. Belki de son yıllarda yaşanamayanlar yaşandı birlikteyken.

Ne kadar çok gözlerimizle konuşmuşuz. Bana ilk

baktığın andan son bakışa kadar. *Muzır gülüşünle kolumun altına girişin, bıcır bıcır etrafımda dolanışın, sarıldığında gerçekten âşık bir kadını gördüğüm gözlerin... Tüm çocuklukların bir anda kesiliyor, olgun, âşık, kendini bırakmış kadına dönüşüyordun. Merdivenlerde seviştiğimiz gün, sende kaybolduğumu hissettiğim ilk gündü.*

Bugün hüzün var. Bugün yüreğim göğsüme sığmıyor, bedenime ağır geliyor. Bu ifadeler bana çok saçma, abartı gelirdi. Şimdi anlıyorum, şimdi ben yaşıyorum, ben hissediyorum. Diyeceksin ki 'Salak mısın? Neden bunları hissederken gidiyorsun?' Cevabını biliyorsun ama kabul etmek istemiyorsun. Benim yerimde değilsin, benim gözlerimden görmüyorsun. Belki bir gün gelecek ve senin gözlerinden göremediğim için çok pişman olacağım. Bilmiyorum. Bugün, senin gözlerinden bakamıyorum. Kaldı ki anlatamadım bile. Muhtemelen kızdın bana ve kızıyorsun. Belki nefret ediyorsun, çok kızgınsın; kırgınsın. İşin tuhafı ben de kırgınım. Ben de hayata kırgınım, kendime kırgınım.

Hayatımda ilk kez sokaklarda, yanımdaki kadına odaklandım, başka bir şey görmedim. Belik de ilk kez bu kadar kendimi bırakmaktan, savunmasız kalmaktan, seni taşıyamamaktan korktum. Belki de kaçtım. Belki de yeni bir yaşamdan kaçtım. Her kadın yeni bir hayat, yeni bir kitap, yeni bir dünya...

Şu an sadece sana yazıyor, hatta muhtemelen sana göndereyeceğim bir mektubu yazıyor olmak bile korkaklık değil mi? Kabul ediyorum, korkaklık. Bir tür günah çıkarma. Bir tür kendimden intikam alış. Kesinlikle içimi rahatlatmak değil.

Kokun, tenin, gözlerin, ellerin, başımı kaldıramadığın boynun artık benden uzak. Seni görsem de benden uzak. Konuşsak da benden uzak. Senin beni unutman daha da acıtacak içimi. İşte bu da bencillik. Seni kaybeden ben, benden uzaklaşmanı hazmedemeyen de ben. Yine de yanında başkasını görmek, başkalarıyla seviştiğini bilmek içimi acıtacak. Seçimi yapmak zorunda kalan ben olduğum için daha fazla acıtacak. Çünkü kızmaya hakkım olmayacak.

Seni seviyorum. Seni istiyorum. Seni özlüyorum. Ve ben gidiyorum."

Terk edilen benden mektup:

"Senden beklediğim, bana göstermelik sözler söylemen, bir şeyler yapman değil. Kabuğuma kapandığımda omzuma dokunman yeter çiçeklerimin yeniden açması için... Senden tek bir kelime yeter buz tutan bedenimi ısıtmak için... Bana dünyaları verme, bana sözler söyleme... Ben herkes değilim. Karşıdaki ya da yanındaki değil içindekiyim. Bana bir şeyler göstermeye çalışma, bir şeyler ispatlama, gücünü sergileme. Ben sana, en yalın olana, yüreğine, bakir ruhuna âşığım. Aramızda ne bir maske, ne bir duvar... Sadece sen ve benden doğan biz... Dışarıda yeterince gürültü var. İhtiyacım olan, kollarındaki sessizlik...

Ve sen gidiyorsun. Gitmen gerektiğini söyleyerek gidiyorsun. Başka çaren olmadığı için gittiğini söylüyorsun. Seni anlamıyorum, anlamamı bekleme benden. Anlamıyorum ve hiçbir zaman anlamayacağım. Bana sarılıp ağlayarak nasıl gidebilirsin? Ağlayarak beni nasıl bırakabilirsin? Cevapsız sorularda boğuluyorum.

Ben senden önce düştüm ateşine. Senin daha beni bilmiyorken ben sana tutuldum. Sonra sen çıktın, sen geldin. Gülümsemen, benim utangaçlığıma katlanışın, senin yanında çocuk oluşum... Ekseninde dönerken, sensizliği hiç düşünmedim. Sensizliği düşünecek zamanım olmadan sen gitmek istedin. Bir sebep bulabilsem, bir anlayabilsem bu kadar yanmayacak yüreğim.

Gitme dememin bir anlamı yok biliyorum. Ne yaparsam yapayım bir şey değişmeyecek anlıyorum. Sebep ben değilim, sensin. İlk söylediğinde bu ne biçim bir yalan diye düşündüm. Sonra gözlerine baktığımda gerçek olduğunu gördüm. Sen beni, beni severken terk ettin. Benim asla yapamayacağım bir şey bu.

Sevdiğim birini nasıl bırakıp gidebilirim? Gerçekten âşık olduğumun ellerimden kayıp gitmesine nasıl izin veririm?

Mesaj atsam cevap vermeyeceksin, arasam açmayacaksın... Sana kızgınım, sana kırgınım, seni seviyorum. Duygular o kadar hızlı yer değiştiriyor ki, hangisini hissettiğimi bile bilmiyorum. Midem bulanıyor. Seninle bir kez daha uyanamayacak olmak, dudaklarını hissedemeyecek olmak, saçlarını koklayamayacak olmak nefessiz bırakıyor. Duvarlar üzerime üzerime geliyor. Kaçsam, gitsem, yok olsam. Öte yanda koltuğumdan kalkamayacak kadar yorgunum. Bir sabah gelecek, seni hatırlamamak üzere sileceğim biliyorum. Şimdi ise sadece acı hissediyorum. Alkolü bırakmaya çalışan birinin, alkolü aramasından çok daha sert her bir hücrem, ciğerlerim seni arıyor. Seni bulabileceğim bir yer de yok. Umutsuzluk, kabullenişi hızlandırmıyor, zorlaştırıyor.

Sana yalvarmayacağım, dön demeyeceğim. Senin bir korkak olduğunu düşüneceğim. Yoksa neden gidesin?

Sana gitme demeyeceğim. Bunun da altından kalkacağım. Yaralarımı saracağım. Hayal kırıklığımı bastıracağım. Bir sabah gölgen olmadan, senden çok uzakta uyanacağım. Yeniden başlayacağım. Yeniden seveceğim. Senden sonra yine sevişeceğim, yine sarılacağım. Başta içim yanacak, belki de başka başka bedenleri, ruhları kullanmış olacağım.

Şu an sana mutluluklar dileyemem. Ne kadar sevsem de, sevdiğini bilsem de korkaklığını, sebepsiz gidişini bugün kabul edemem.

Şimdi yapabileceğim tek şeyi yaparak kabuğuma çekiliyorum. Kendime sarılıp, senin kalbimden, zihnimden, ruhumdan çıkıp gitmeni bekliyorum."

Sonra ne oldu? Yaşadığımı yaşattım. Zamanında anlayamadığımı anlatmaya çalışan ben oldum. Bana yapılmasından yıkıldığım eylemi ben yaptım. İşte hayat böyle. Nereye bakarsan göreceksin, bugün sana yarın bana. O yüzden kesin cümleler, büyük laflar gereksiz. Yarın ne olacağını bilmediğimiz gibi, bugün yapmam dediğimi yapana dönüşebiliyorum.

Mektupların taşıdığı saflıkta yoğunluk yarım kalan aşklarda gerçekten yaşanıyor. Uzun süreli ilişkilerden, evliliklerin ardından yaşanan ayrılıklardaki duygular farklı oluyor. İçine bambaşka duygular, korkular karışıyor. Yorgunluk, bezginlik, birikenler karışıyor. Mektup yazacak mecalin bile kalmıyor.

Eksik neyimiz varsa, neremiz kanıyorsa onu kapatacak bir şey buluyoruz. Bağlılıktan kolaylıkla bağımlılığa geçiyorum. Sigarayı bırakan birinin alkolik olması gibi bir şey... Tutunacak dal arıyoruz, adını bağımlılık koyuyoruz. Yoksa bir insan neden tadından nefret ettiği bir zehri sürekli içine çeker ki? Kâğıt ve tütünden kendisine nasıl dost yaratır ki? Yoksa bir insan nasıl kendisini yok sayıp, eziyet eden bir kadının, adamın dizinden ayrılamaz ki? Her bir bağımlılık, bir büyük zayıflık, bu zayıflıktan kocaman bir kaçış...

Bağımlı ilişkilerin sonu çok daha sert oluyor. Göz kararıyor, bağımlılık altında alınan kararlar sonradan pişmanlığa dönüşüyor.

Her ayrılık değişimi, her değişim korkuları beraberinde getiriyor. Yeni bedenler, yeni yürekler, yeniden kendini anlatmak, yeniden tanımak, yeniden başlamak. Ayrılıklardan sonra, ayrılığın acısını yaşamaktan kaçıyoruz. Kaçtığımızı sanıyoruz, acı bizimle geliyor. Bastırdığımız için kaçıp bir yere saklanıyor. Sonra bambaşka yerde, olmadık zamanda, bazen de kendini kamufle ederek hortluyor. Ayrılıklarda üzülmek, acı çekmek, karmaşık duygular, gelgitler yaşamak o kadar doğal ki... Kaçma, saklanma, oynama, hislerini yaşa. Gerekiyorsa kabuğuna çekil, kapan, hemen ertesi gün kurtulmaya çalışma. Terk edilensen intikamdan medet umma. Dostun olarak söylüyorum, gördüklerime, deneyimlediklerime dayanarak konuşuyorum, daha iyi değil, daha kötü olacaksın.

Her ayrılıkta bir suçlu aranmaz. Severek de ayrılınır. İki insanın yan yana yürümeyi becerememesi, bir ilişkiyi tutundurmamış olması mutlaka bir tarafın suçlu olmasını gerektirmez.

O yüzden yaşadığın güzellikleri, yaşarken dibine kadar yaşa. Hiçbir şeyin garantisi yok. Ayrılığın hiç olmayacağının da garantisi yok. Karşındakinin bir gün değişmeyeceğinin, gitmeyeceğinin garantisi yok. Ayrılığın olasılığının farkında olarak, bugün elinde olanın değerini bil, bugün onu yücelt. Yaşamın doğasında her an her şey olabilir.

Üzgünüm, yaşamının geri kalan döneminde de ayrılıklar olacak. Ayrılıkların formları farklı olacak. Bazen ölüm, bazen iş, bazen eşyalar, bazen evlenen, uzaklaşan çocuklar, bazen çoktan sonu gelmiş devam ettirilmeye zorlanan evlilikler... Ayrılıkları anlamanın yolu vazgeçmenin gerçekliğini görmekten geçiyor. Zamanı geldiğinde vazgeçmeyi bilmek zorundasın. Nasıl her seçim bir vazgeçişse, hayatın doğal döngüsünde kaçınılmaz vazgeçişlerimiz olacak.

Uykum geldi. Bu satırları yazmak garip oldu. Eski defterleri açmak bir sürü anıyı beraberinde getirdi. Yatağa uzanıp, unutulmuş anılarıma bakayım biraz. Zamanında beni yerle bir eden anlar, şimdi çok uzakta kalmış, hatta hatırlanması güzel duygular uyandıran anılara dönüşmüş. İnsan her şeye alışıyor.

Gerçek Dost Başkadır, Bambaşkadır

Bir insan bir insanın her şeyi olamaz. Yaşamın içinde farklı paylaşımlar, farklı insanlarla yaşanır. Bazen sevgilinin, eşinin bilmediklerini paylaşabildiğin dostların olur. Sevgilinle de dostunla paylaşamadıklarını paylaşırsın. Anne, baba ile paylaştıklarını diğerleriyle paylaşamazsın. Kısacası, her şeyi bir insan ile yaşayamazsın. Bir insan gerçekten hem eş, hem anne, hem dost, hem arkadaş olamaz.

Birine dost demek o kadar kolay değil. Arkadaş çoktur da dost azdır. Bir elin beş parmağı kadar dost bile çoktur. Kendi hayatıma baktığımda gerçekten dostum diyebileceğim iki kişi var. Onlar da bu satırları okurken kim olduklarını çok iyi biliyorlar. Biri erkek, biri kadın... Bu satırları okuyan birçok kişi onların kim olduklarını biliyor.

Dost, nasıl dost oluyor? Dost dediğin insan senin bilebildiğin ne varsa biliyor. Kendi karanlık dehlizlerini, kör noktalarını sen bile göremediğin için onlar da göremiyor. Onun dışındaki her şeyi biliyor. Sırlarını biliyor, onunla mezara gidecek sırlarını. Dost, dostunu yargılamadan dinliyor, yargılamadan olduğu gibi seviyor. Gözleriyle iletişim kuruyor, birçok kez kelimelere ihtiyaç duymadan iletişim kuruyor. "Kendimi iyi hissetmiyorum" dediğinde ilk sorusu "Ne oldu?" değil, "Nerdesin?" oluyor.

Zaman geliyor haftalarca, aylarca görüşmesen de ilk buluşmada her şey kaldığı yerden başlıyor. Sen biliyorsun ki, o dünyanın bir ucunda da olsa ihtiyacın olduğunda yanında belirecek.

Yeri geliyor en sert eleştirileri yüzüne söylüyor. Senin, nasıl olduğun onun için önemli. Arkadaşların eksiklerine, yanlışlarına çok takılmayabilir "aman" der geçer, seni dost kadar önemsemediğindendir. Dostun gönlü razı olmaz. Dostun senin daha iyi olmanı ister. Senin başarılarından gocunmaz, o ne durumda olursa olsun içi burkulmaz. Seninle, senin kadar başarılarından gurur duyar, keyif alır.

Her birimiz böyle bir dostun varlığını duyumsamak istiyoruz. Dostlarımızdan daha fazlasını bekliyoruz, onları kaybetmekten korkuyoruz. Acaba biz beklediğimiz kadar iyi dostlar mıyız? Acaba ne dostumun, dostu olmakta ne kadar başarılıyım?

İnsanları çok kolay eleştiriyor, çok kolay yargılıyor, sınıflandırıyoruz. Dostta kusur arayan dostsuz kalır derler. O kadar kolay ki, bir insanda kusur bulmak, eksiklerini görmek. Sana, bana kusur bulmak için bakanlar ne kadar da çok şey bulurlar bulmak istedikten sonra.

Sanki kusursuz varlıklarmışız gibi, karşımızdakilerin, dostlarımızın kusursuz olmasını bekliyoruz. En küçük hatalarını –ki onlar da hataysa– hemen büyütüp kendimizi saklamak için bahaneye çeviriyoruz. Dostlarını, arkadaşlarını eleştirdiğin şeyleri sen hiç yapmadın mı? Yapmıyor musun?

İnsanların eksenimizde dönmesini beklemek, sadece kendi bakış açımızdan değerlendirmek, yorumlamak adil değil. Bir arkadaşın hafta sonu planın senin yerine başkasıyla yapabilir. Sen onu aradığında dürüstçe o an konuşmak istemediğini, yalnız kalmak istediğini söyleyebilir. Arkadaşlar bazen sen kırılmayasın, yanlış anlamayasın diye dinliyormuş, ilgileniyormuş gibi yapabilir, istemeye istemeye bazı şeyleri seninle yapabilir. Gerçek dost, içinden gelmeyen bir şeyi yapmacık yapmak yerine hiç yapmaz. Dürüstçe gerektiği zamanlarda "hayır" der. Bir şeye bozulursa yüzüne gülümsemez, "pat" diye söyler.

Dostlar, öyle sıkı sıkı bağlanmışlardır ki, birbirlerini kırmayacaklarını bilirler, rollerden oyunlardan tamamen sıyrılırlar, o yüzden rahat hareket ederler. Arkadaşını buzdolabını açarken çekinebilirsin, dostunun buzdolabını talan edersin. Arkadaşına pijamaya gerek yok zahmet etme ben böyle iyiyim dersin; dostuna "üstündekini versene" dersin.

Dostunun yanında kendini salar, ağlarsın... Zayıflıklarını önüne serersin. Saklayacak, gizleyecek, çekinecek bir şey olmaz. Gece yarısı kapısını çalmaktan çekinmezsin. Söyleyeceklerini tartmazsın. Burası çok önemli. Saygısızlık etme şansın yoktur çünkü hiçbir davranışında, sözünde ardına bakmaz, başka anlam aramazsın. En fazla "öküz adam" diye yüzüne bağırır yastığı kafasına fırlatırsın:)

Dostların cinsiyeti yoktur. Erkek, kadın, gey, lezbiyen, trans önemi yoktur. Bir kadın ve bir erkek dost olabilir mi? Neden olmasın? Bir kadın ve bir erkek dost olunca mutlaka "kadınlık" ve "erkeklik" sirayet etmiyor. Sevgililer, sevgililerinin dostlarını kıskanıyor ve hemen ekarte etmeye başlıyor. Kimisi net bir şekilde, sevgilisinin dostuyla görüşmesinden rahatsız oluyor. Belki kelimedeki anlam kaymasıdır kafaları karıştıran. Eskiden yasak ilişki yaşayan kişi için "dostu var" derlerdi.

Bir kadın ve erkek çok iyi dost olabilir. Sevgilinin, eşin kıskanmasının temelinde aldatılmaktan önce gelen şey bir başkasının aslında sevgiliyi ondan daha iyi tanıyor olması, yakın olması. Sağlıklı olan süreçte dost, dostu hakkında sevgiliden, eşten daha çok şey bulur. Evlilik bölümünde, cinsellikte konuştuklarımızdan uzak olan kişiler dostlarla rekabete girer, dostu kıskanır. Oysa anlamaz ki yatağındaki insanın iyi bir dosta ihtiyacı vardır, tıpkı kıskanan gibi, her birimizin olduğu gibi.

Bir insan, bir insanın her şeyi olamaz. En iyi dostum poker oynamayı beceremiyor mesela. Poker oynamak istediğimde farklı bir grupla, farklı insanlarla oynuyorum. En iyi dostum elektronik müzikten hoşlanmıyor. Konserlere, özel gecelere başka gruplarla gidiyorum. Keza her zaman, aynı şeylerden keyif almak zorunda değiliz. Tıpkı sevgililerimizle de olmadığı gibi. Sevgilin hafta sonu geç kalkmaktan hoşlanıyordur, sen de kalkarsın, arkadaşlarına koşarsın sonra gelir sevgilini uyandırırsın. Bunlar sorun değildir, sorun gibi gösterildiği durumlarda daha derinlerde, daha sağlam sorunlar vardır.

Bazı arkadaşlar duruma, etkinliğe özgüdür. Örneğin sadece balık tutmaktan tutmaya görüştüğüm, ama başka kimseyle, hatta dostumla, eşimle alamayacağım kadar balık tutmaktan keyif aldığım bir arkadaşım var. Kimi arkadaşlar sofra adamıdır, kimileri eğlence, kimiler kültürel. O yüzden farklı farklı arkadaş grupları vardır normalde insanların. Eğer sen hepsini bir kişiyle yapmaya çalışırsan karşındakini de, kendini de, aradaki ilişkiyi de tüketirsin. Ne paylaşacak özel zamanın kalır, ne de dolu dolu tadını çıkaracağınız, ikinizin de kendinizi iyi hissettiğini aktiviteleriniz. Birçok insan sırf karısı, kocası mutlu olsun diye zorla bir sürü aktiviteye eşlik etmeye çalışıyor. Sevmediği, yeteneği olmadığı bir şeyi yapmak da kolay değil. Ne kadar istekli olursa olsun ya da görünürse görünsün olmuyor. Örneğin Latin dansı yapmayı seven bir kadın hocasıyla dans etmekten daha fazla keyif alacaktır. Kocasının denemelerine eşlik etmekten de ayrı bir keyif alacaktır.

Dost, arkadaş ilişkilerimiz özel ilişkilerimizi de etkiliyor. Dost ile eş ilişkisi benzeşiyor. İkisinde de dürüstlük, açıklık, rahatlık çok ama çok önemli. O zaman eşinle de bazı kulvarlarda dostluk kurarsın, ama sadece dostun olanın yerini tutmaz.

Ebeveyn çocuk ilişkisinde de bu beklenti oluşabiliyor ama orda da kulvarlar çoğalır, dozaj zorlanırsa dengeler şaşar... Dost, başkadır bambaşkadır. Ebeveynlerle paylaşılamayacak olan şeyler, dostlarla paylaşılacaktır. Eğer çok zorlarsak ve paylaştırırsak bu sefer de ebeveyn çocuk ilişkisi yüzgöz olmaya dönebilir.

Çocukları Kirletmeyin

"Çocuklar oyun oynuyorlar... Alevi, Sünni, Hıristiyan, Musevi, siyah, beyaz, kızıl, zengin, fakir, Türk, Kürt, Ermeni, Rum, Alman, İspanyol, Arap... Henüz bilmiyorlar... Bilmiyorlar ki, büyüdükçe büyükler onlara farklılıklarını öğretecekler... Bilmiyorlar ki bu farklılıklar, büyüdüklerinde arkadaşlıklarının bile önüne geçecek...

İnsan yerleşik düzene geçti, veraset sistemini yarattı, sınırlar çizdi, sınırları korumak için silahlar üretti ve yine sınırları korumak için silahları kullandı... Tarihe kan, savaş, acı silinmez izlerini bıraktı...

Çocuklar silahların gölgesinde korkuyla büyüyerek silahları kullanmayı öğrendi. İntikamı tanıdı. Bugün savaşan nesilleri, gördüklerini, onlara verilenleri taşıdı ve işte bugünkü dünyayı yarattı. Milyonlarca insan niye öldüğünü bile anlamadı ve ölmeye devam ediyor.

Aynı toprakların çocuğu olmamak ne mümkün aynı yerkürenin üzerinde, aynı gökyüzünün altında yaşarken. Denedim. Anlamaya çalıştım. Anlayamadım... Farklılıkların neden sorun olduğunu anlata-madılar ya da ben anlamadım.

Zengin fakiri hor gördü, fakir zengini suçluyor. Kapalı açığı, açık kapalıyı küçümsüyor. Kadın erke-ğe, erkek kadına kızıyor. Oysa hepsi çocukken sak-lambaç, yerden yüksek oynuyor. Hem de hep birlikte, hem de paylaşarak. Ta ki öğrenene kadar. Tıpkı ya-şamda neyi yapabilip, neyi yapamayacaklarını öğren-dikleri gibi.

Ayrışa ayrışa, gruplaşa gruplaşa parçalara bölün-dük. Dinler, uluslar derken, neredeyse dernek düze-yinde ayrıştık. Futbola bile kanı karıştırdık. Tribünleri tek renge boğduk.

Nasıl bir paradokstur ki, her oluşum daha iyi dün-yayı vaat etti. Kemale ermek, cennete gitmek, yon-tulmuş taş, aydınlanma, "nirvana"ya ulaşmak... Dinler, öğretiler aynı evin farklı pencereleri değil miy-di oysa? Ben mi çok saftım.

Kemalist, nurcu, mason, laik, muhafazakâr, libe-ral, komünist, ocu, bucu, şucu ve yüzlercesi hepsin-den önce insan değil miydik? Hepsinden önce insan değil miyiz?

Kimliği, etiketleri ne olursa olsun ölen insan, doğan insan... Ve her birimizin hayali daha güzel bir dün-ya, iyi bir hayat... Hepimizin hayalleri yok mu? Ne zaman uyanacaksınız?.. İstanbul'da, Diyarbakır'da,

İsrail'de, Filistin'de, Uganda'da, Hindistan'da, aynı gökyüzünün altında ölen bir çocuk, her şeyden önce çocuk.

Sürü psikolojisinde yetişen nesiller, uyutulan toplumlar ve nihayetinde günlük hayatın içinde kaybolan ruhlar o kadar kolay malzeme ki... Bugün kendi içimizde, kendimizle kavga ederken, dışarıda kavga edecek şey bulmuşuz çok mu?

Aradığımız mı ne? Sevmek ve sevilmek. Değerli olduğumuzu hissetmek. Sevmek, paylaşmak, sarılmak... İyiye ve güzele bakmakta inat etmek...

İnadına, ekmeğini tanımadan birbiriyle paylaşan çocukları örnek almak. Şu an bana saf, enayi gözüyle bakanlara gelince, evet saflık ve enayilik buysa gurur duyuyorum. Şu an elimde duran Mesnevi'ye sarılıyorum."

Sen de bebektin, çocuk oldun, büyüdün. Her birimiz aynı yoldan geçtik. Farkımız, her birimiz aynı yoldan farklı geçtik. Doğduğumuz şehir, ailemiz, arasında katıldığımız toplum bizi yoğurdu. Bazılarımız bu süreçte travmalara boğuldu. Aile içi şiddet, kendini bulamayan kaybolmuş anne babalar, olumsuz yaşam koşullarında başımıza gelenler, tacizler, tanık olduklarımız. Ailemizi de, doğduğumuz şehri de, adımızı da, hatta inancımızı da başta biz seçmedik, seçemedik. Bazılarımızın aileleri çocuklarını büyüdüğünü hiç kabul edemedi. En iyi koşullar, yetişkin olduğumuzda hayatımızı zorlaştıran sebeplere dönüştü.

Bugün her bir yetişkin, biz zamanlar bebekti, çocuktu. Bugün biz yetişkinleri farklı kılan nelerimiz varsa çoğunun temeli 0-3 yaşa arasında atıldı, kodlarımız yazıldı.

Çocuk bir mucize, candan cana geçiş, yaratılışın bir başka boyutu. Neden çocuk sahibi olacaksın? Neden çocuk sahibi oldun? Ebeveynlere sorduğumda aldığım cevaplarda ağırlıklı olarak öne çıkan birkaç tanesi: "Zamanı gelmişti", "Soyumu devam ettirmek için", "Sonradan pişman olmamak için", "Yaşlandığımda yalnız kalmamak için", "Evliliğimizi kurtarmak için", "İstemeden, kazayla oldu". Yorum yok.

Birçok anne baba çok genç yaşta çocuk sahibi oldu. Günümüzde yavaş yavaş anne baba olma yaşı yukarı çekiliyor. Çekilmeli de... Yirmili yaşların başında kişi daha kendini bulamamışken, kendini çözememiş, hayattan ne istediğini bilemiyorken, aslında kendisi yolun başındayken kucağına aldığı bebeği nasıl yetiştirecek? Büyüklerin desteği, anneanne ve dedelerden alınan bilgiler, hatta çoğu zaman onlara emanet ederek. Eğer babana ve annene karşı affedemediğin birtakım kırgınlıkların var ise, bunu dikkate al. Onlar da ne yapacaklarını bilmiyorlardı.

Daha kendilerini tanıyamadan, anlayamadan senin sorumluluğunla tanıştılar. Belki niye evlendiklerinin bile daha farkında değillerdi. Nasıl ki, evlilik için bireylerin kendilerini tanımış, yaşamdan beklentilerini oluşturmuş ve evlilikten ne beklediklerini bilerek evlenmelerinin önemli olduğunun altını çiziyorsak, aynı durum çocuk sahibi olurken de geçerli. Çok az yaşam deneyimine sahip anne babalar birçok hata yapıyorlar. Kendi doğrularını bulamadan doğru anne baba olmaya çalışıyorlar. Gençlik yılları öğretme değil öğrenme yıllarıdır. Cinsellik yaşamak için evlenince erken anne baba olmak kaçınılmaz oluyor.

Doğadaki en muhtaç yavru olan insanı dünyaya getirmek demek, odaklanmak demek, önceliğin bir süre bebek olması demek... Taşıdığın sorumluluğun farkında olmak demek.

Çocuklarımız, malımız değil. Kendi doğrularımızı, yanlışlarımızı, yaşamda biriktirdiklerimiz olduğu gibi empoze edeceğimiz ve kendimizden bir tane daha yaratacağımız varlıklar da değil. Çocuklarımız bizim istediğimiz gibi, bizim doğrultumuzda olduğunda "iyi", olmadığında "kötü" oluyor. Çoğunluk olduğu gibi kendi kalıplarına çocuğun uymasını istiyor. Otur, kalk, sus, soru sorma, yaramazlık yapma, gürültü yapma. Büyüdükçe de kendi doğrularını öğretiyor. "En büyük bilmem hangi takım", "Sütçüoğulları kötüdür, biz Sucuoğullarındanız", "Para kazanamayacağın mesleklerde ne işin var aç kalırsın",

"Okul bitsin evlen"... Neler neler aşılıyoruz. Sosyoeko-nomik yapıya göre değişiyor. Bazılarımız da çocukları yarış atına dönüştürüyor, çocuklarının başarılarını ken-di kimliğine dönüştürüyor, bir fanusun içinde büyütü-yor, küçük yaşta onlara bolca harçlık veriyoruz. Bu ve benzeri örnekleri sürekli görüyoruz. Kendi çocukluğuna baktığında da benzer örnekleri görürsün. Herkesin farklı deneyimleri, hikâyeleri var.

Önemli olan, çocuğu önce insan olarak yetiştirebil-mek. Eğitim sistemi de buna hizmet ettiğinde gerçek eğitimden söz edebiliriz. Diplomaları alan, sözüm ona iyi okullar bitiren çocuklar, gençler Dostoyevski'yi, Balzac'ı bilmiyor. O sınav, bu sınav, notlara, sınav so-nuçlarına dayanan bir eğitim sistemi. Çocuklara dü-şünmeyi değil, büyüklere göre doğru düşünceyi, kalıp-ları öğreten bir eğitim sistemi. Evrensel temel değerleri oturtmadan hangi iyi eğitim? Kendini tanımayan, özgü-veni oturmamış bir çocuk CEO olsa ne olacak, mühen-dis olsa ne olacak, doktor olsa ne olacak?..

Benim için kriter şu: Farkında, kendini tanıyan, öz-güveni yerleşmiş, evrensel temel değerleri oturtmuş bir ergen çocuk var mı önümüzde? Diyeceksin ki anne baba bunları oturtmuş mu? Haklısın da. İşte bu yüzden kendi doğrularımızı, kendi sahip olduklarımızı empoze, dikte etmek yerine uygun koşullar yaratabilmek iyi bir ebe-veynin önceliği olmalı. Binlerce kitap, yüzlerce uzman var. Önemli olan niyeti koymak ve farkında olmak.

Bugünün dünyayı titreten diktatörleri, terörist başları, dünyayı ve insanları inciten her ne statü ve kulvardaysa bir zamanlar çocuktular. Çocuklarımızı bir ideolojinin, bir inancın askerleri olarak değil, birer dünya vatandaşı olarak yetiştirmeye çalıştığımızda onlara en büyük iyiliği yaparız. Hurafelerden, dogmalardan uzak, sorgulayan, araştıran, bilgi ve verileri hemen doğru olarak kabul etmeyen bireyler yetiştirmek ne güzel bir ülküdür. Böylelikle çocuklarımızı yargılardan, etiketlerden de uzak tutmuş oluruz.

Çok küçük yaştan itibaren çocuklarımızla konuşabilmek, onları yargılamadan dinleyebilmek, kuralları açıklayarak paylaşmak, sevgiyi ve onlara güvenimizi hissettirebilmek, ilerleyen yaşlarında kendi seçimlerine katacağı değerin yanında bizlerle de kolay iletişim kurabilmelerini sağlayacak. Onları istediğimiz yollara sokmaktan çok önlerine seçenekleri koyabilmek ve seçimlerinde arkalarında olduğumuzu hissettirmek altın kural. Çocuklarımızı tez zamanda bağımsız kılmak, onlar üzerinde belki de ilk önceliğimiz olmalı. Onları bağımlı kılmak yerine, onları güçlendirmiş oluruz.

Bebeğin, çocuğun pahalı oyuncaklardan, markalı kıyafetlerden, ısıtılmış meyveli süt üreten cihazlardan önce sevgi ve güven ortamına ihtiyacı var. İleride onu özel okullarda okutacak parayı kazanmak için uzak kaldığı bir babadan çok, babasının sevgisini hissetmeye

ihtiyacı var. Sevgi ve güven ortamı, bir çocuğun gele-
ceğini şekillendirecek en önemli kaynak.

Kendinden eksilterek yaşayan, kendiyle ve eşiyle
kavga eden, saçını süpürge ettiği için mutsuz olan ebe-
veynlerin çocuklarına sunduğu sevgi ve ilginin kalitesi
de düşüyor. Nicelik değil, nitelik. Çocuğu için belli bir
süreden sonra bile işine dönmeyen, kendine özen gös-
termeyen, kendi için bir şey yapmayan anne çocuğuyla
çok vakit geçirebilir ama verdiği sevgi ve ilginin nite-
liği nasıl olur?

Bebekleriyle dışarıya çıkan ailelere bakıyorum. El-
lerinde birkaç büyük çanta, her şey çocuğa göre ayar-
lanmış. Yanında gözlerinin feri gitmiş, bezgin anne
babalar. Anne çocuğu gözlüyor bir köşede, baba gazete
okuyor bir köşede. Birazdan da bir şey için birbirilerini
suçluyorlar. Çocuk biraz büyükse, biraz yaramazlık yap-
sa yiyor fırçayı. Amsterdam'da Londra'da bebekleriyle
dışarı çıkan aileler görüyorum. Anne baba bisiklette,
çocuklar göğüslerinde kanguruda... Çocuk biraz daha
büyükse en arkada üçüncü bisiklette. Anne baba çi-
menlerde sarmaş dolaş, çocuk kendi dünyasında ama
gözleri üzerinde. Sanmıyorum ki, o aileler çocuklarına
bizden daha az değer veriyor olsun.

Ebeveyn ergen ilişkisinde son zamanlarda o kadar
çok iletişim sorunu ifade ediliyor ki... Aileler çocuk-
larıyla iletişim kuramamaktan, çocukların vurdumduy-

mazlığından, hayata ilgisizliğinden şikâyetçi. Gençlik dönemlerinde sorunlar daha da derinleşiyor. Artık neredeyse her beş yıl bir jenerasyon. Hızla değişen dünya, sosyal yapı ve teknoloji... Bugün insan kaynakları eklerindeki iş ilanlarının yarısından fazlası on yıl önce yoktu. Aileler hâlâ çocuklarının doktor, avukat, mühendis olmasını diliyor.

Bugün hayat internet ortamında akıyor. Ebeveynler bilgisayar başında vakit geçirdiğinde sinirleniyor. Hepsinden öte yaşama, insana bakış hızla değişiyor. Ebeveynler kendi yaşanmışlıklarını, korkularını çocuklarına taşıyor. Artık, kendi doğrularının önemli bir bölümünün değiştiğinin, kendi doğrularının da belki doğru olmadığını fark edemiyor.

Duyarsız gözüken, hayata tutunmakta zorluk çeken gençlerle çalıştığımda ortak sorunu görebiliyorum. Aslında hiç de vurdumduymaz değiller. Ebeveynleri tarafından sevildiklerini ve onlara güven duyulduğunu hissetmeye ihtiyaçları var. Samimi bir şekilde dinlenilmeye ve dikkate alındıklarını hissetmeye ihtiyaçları var. Ebeveynlerin de kendilerini –bilgisayar diliyle söyleyelim biraz kinayeli olsun– update etmeye, güncellemeye ihtiyaçları var. Bizim hayallerimiz çocuklarımızın hayali olmak zorunda değil. Farklı bir meslek, farklı bir yaşam tarzıyla kendini gerçekleştirebilir.

Gerçekten de hata yaptıklarında, yanlış adımları

attıklarında onları yermekten çok kucak açmak, cesaretlendirmek ve yaralarını sarmalarına destek olmak hepimizin hayalindeki ebeveyn modeli değil mi? Belki senin hiç böyle bir şansın olmadı.

Çocuklar hayatımızın yükü değiller. Bizim kendimizi ifade edeceğimiz yarış atları da değiller. Yetişkinlerin buluşmalarında konu çocuklara geldiğinde yetişkinler de çocukları üzerinden yarışıyor. Benim çocuğum şunu yaptı, benim çocuğum şunu kazandı, benim çocuğum şöyle, benim çocuğum böyle. Bu kıyaslamaları çocuklarına da hissettiriyorlar. Falancanın oğlu şöyle, falancanın kızı böyle.

Çocuklarımız, bizim çocuklarımız oldukları kadar birer ayrı birey. Sen mürüvvetini görmek istersin o hiç evlenmeyebilir, sen mühendis olsun istersin o futbolcu olur, topçu olur. Sürekli neyi konuşuyoruz, kendini tanımak, kendini hamuruna uygun gerçekleştirmek, insan olmak. Bu kadar yetişkin insan bu yaklaşımlardan uzaksa ya da bunu başarabilmek için ilerleyen yaşlarında yola çıkıyorsa bundaki önemli sorumluluk bizim ebeveynlerimizde değil mi? Biz neden aynısını çocuklarımıza yapalım. Çocuğunun eşcinsel yönelimi de olabilir, genç yaşta hamile de kalabilir. Her koşulda çocuklarımız, bizim çocuklarımız. Üşenme, LBTT'nin (Lezbiyen, Biseksüel, Travesti, Trans Aileleri Derneği) *Benim Çocuğum* filmine bir göz at. Anne babalık, ebeveyn olmak böyle bir şey.

Bazılarımız anne babalarımızın üzerimizdeki travmalarını aşamadık. Belki onlara kızgınsın, belki konuşmuyorsun, yıllardır görüşmüyorsun, belki aran iyi değilken kaybettin, belki hiç "seni seviyorum" diyemedin.

Aileyle ilişkileri uzaktan dahi olsa, kendi içinde bile olsa temizleyemeden, affetmen gerekenleri affedemeden hayata tam olarak başlayamazsın, hep bir şeyler eksik kalır. Bunu çocuklarına da yaşatma. Ebeveynlerini de anlamaya çalış, onların gözünden de görebilmeye çalış. Nasıl mı?

Affetmek:
Karşındakini Değil
Kendini Özgür Bırakmak

Giden bir sevgili, hakkımı yiyen bir dolandırıcı, beni yüzüstü bırakan bir dost, benliğimi yerle bir eden bir aile... Öle ya da böyle birileri çok kötü bizi kırdı, yaraladı. Bir şekilde hayatımızda olanlardan bazıları, öfke duyduğumuz, öfkemizi silemediğimiz ve affedemediğimiz varlıklara döndüler.

Öfke korkunun açığa çıkmasından başka bir şey değil. Öfke kontrolü için çabalama, çare arama korkularından arın. İçinde tuttuğun atıklarından arın. Öfken sana neyi çözmen gerektiğini anlatmaya çalışıyor. Öfkeyle örtmeye çalıştığın her neyse artık ondan kaçma. Bir biçimde en çok korktuğumuz insanlara öfke duyuyoruz. Ne kadar çok korkarsak o kadar çok öfkeli oluyoruz. Öfkeye ihtiyacın kalmadığında aradığın huzur içine dolmaya başlıyor.

Seni kıranlar, yaşamındaki acıların sorumlusu gördüklerine duyduğun öfke dinmiyor. Bir yanın üzülüyor. Öfke duymayı sen de sevmiyorsun. Kırgınlık, öfke ve affetmek üçgeni oluşturuyor.

Bir insan babasını neden affedemez? Çok kırgındır, kırgınlık öfkeye dönüşmüştür. Oysa, babasını baba gibi görmek istemiş, sıcaklığını duyumsamak istemiştir. Bunu yaşatmayan babasına, kırgın ve öfkelidir. Hayal kırıklığı içini dağlamakta olsa da, başka yapacağı bir şey o an için yoktur.

İncindiğimizi, zarar gördüğümüzü hissettiğimizde, düşündüğümüzde intikamı hak görüyoruz. Hissetmek ile düşünmek aynı şey değil. Bazen ortada bir şey yokken bile yarattıklarımızdan, saptırdıklarımızdan dolayı da kırılabilir, öfkelenebiliriz. Karşımızdakilerin de insan olduğunu unuttuğumuz anlardır bu. Evrensel kabul edilemez suçları bir kenara koyuyorum, sonuçta karşındaki insan da kendi korkularından, yoksunluklarından, belki de farkına bile varmadan seni kırmıştır, incitmiştir.

Baba örneğine dönersek, belki de babalığın sorumluluğunu kaldıramamış, kendi girdaplarında kaybolmuştur. Belki de şimdi çok çok pişmandır, nasıl düzeltebileceğini bilemiyordur.

Bir katılımcım, çalışmalarımız sırasında 35 yıl konuşmadığı babasına giderek onu ne kadar sevdiğini, ona nasıl ihtiyacı olduğunu, baba figürünün hayatında ne kadar eksik olduğunu söyleyip, yıllardır içinde tuttuğu duygularını bir çırpıda boşaltıp sarıldı. Bunu yapabilmesi için iki şişe şarap içmesi gerekmişti. Ortaya döktüğü gerçek duygular, karşısında hüngür hüngür ağlayan, özür dileyen ve yaklaşık bir saat kollarını açmadan ona sarılan babayı ortaya çıkardı. Şimdi geçmişten arınmış muhteşem bir baba kız ilişkisini yaşıyorlar.

Bu örneği hayatının tüm kulvarlarına taşıyabilir, zihninde canlandırabilirsin. Bazen sudan sebeplerle başlayan kan davaları gibi, zamanında üzerine gidilmediği, duygular açıkça paylaşılmadığı, yüz yüze, aracısız, net bir şekilde paylaşılmadığı için, zihinlerde kurulan senaryolar, ego şımarıklığı ve gurur yüzünden kopan, bozulan ilişkilere tanıklık ediyorum. Seni yakıp yıkan öfke, kin belki de gereksiz yere seninle yaşıyordur. Bugün affedemeyen sen, hiç ummadığın anda affedilmeyi bekleyene dönüşebilirsin.

Her eylem, her davranış o eylemi, davranışı gerçekleştiren kişiye doğru görünür. O an, onun için doru olan odur. O an, o insanın tüm geçmişi, yaşanmışlıkları, inandıkları, korkuları, hayalleri doğrultusunda yaşanmıştır. Aynı şey senin için de geçerli. Örneğin, bir akşam hiç ummadığın biz zamanda ummadığın bir yerde yasak bir ilişki yaşadın. Düşün. Sonra affedilmeyi nasıl beklediğini düşün.

Ya da çocuğunun iyiliği için, ona uygun olmadığını düşündüğün sevgilisinin bütün mesajlarını, mektuplarını yok ettin. Hatta, sevgilisinin aslında doğru bir insan olmadığını kanıtlamak için senaryolar ürettin, sahte tanıklar buldun, gerektiğinde baskıyla engelledin. Ancak çocuğuna iyilik yapmadın. Hatta öfkesini aldın. Belki de sevgilisi, sadece senin görüşlerine, yaşama bakışına, inandıklarına uymuyordu ama doğru insandı. Bugün hâlâ Alevi-Sünni ilişkilerinde sorunlar yaşanıyor. Aileler engellemeye çalışıyor. Anlıyorsun değil mi ne demek istediğimi. Kendi sığ bakış açılarında Alevi aile de haklı, Sünni aile de haklı.

O yüzden herkes haklıdır. İnançlarımızı, kararlarımızı, yaşam tarzımızı, bakış açımızı tek doğru görüyoruz, herkes doğru desin istiyoruz. Hem de birçok yanlışın sonradan doğru, birçok doğrunun sonradan yanlış olduğunu defalarca deneyimlememize rağmen... Galileo da dünya yuvarlak dediği için öldürülmüştü. Aile içi sorunlardan uluslararası ilişkilere bu paragrafın yansımalarını görüyoruz. Bir asker ile bir terörist karşılaştığında her ikisi de kendi inandıkları, uğrunda ölmeye hazır oldukları şey için namluyu doğrultuyor. İkisinin doğrusu, birbirinin yanlışı.

Duygularını tutma, duygularını saklama. Paylaş. Muhatabınla doğrudan ve olduğu gibi. İmalarla değil, net olarak sanki bir çocuğa anlatır gibi ifade et. Tekrar söylüyorum: Üzüntü, kıskançlık, kızgınlık, korku, sevgi, arzu ve diğer tüm duygular ifade edilmediklerinde, arabanın benzin deposundan damlayan benzin gibi birikir, bombaya dönüşür.

Her şeyin temelinde sevgi ve korku arasındaki gelgitler var. Siyah ile beyaz arasındaki tüm renkler gibi, tüm duygular bu iki ana duygu arasında beliriyor. Yaşamlarımızda sürekli acı ve zevk arasında gidip geldiğimiz gibi, duygularımızda da tüm duygular sevgi ve korku arasında gidip geliyor.

Öfke ile onu besleyen korku, acı ve üzüntü ile birleşerek güçleniyor. Acı ve üzüntü ancak ifade edilebildiğinde üstesinden gelinir. Çoğumuz içimizde yaşıyoruz. İçimizde kopan fırtınaların gücünü gösterir ne kadar efkârlanmaya meyilli bir toplum olduğumuzu. Kurulan rakı masalarına eşlik edilen fasılda, gidilen bir konserde her birimizin gözlerini dolduran en az birkaç şarkı vardır. O şarkılar, içimize bastırdığımız hüznü açığa çıkarır, bir tür küçük depremcik misali asıl enerji kaynağında enerjinin biraz da olsa boşalmasını sağlar. Ağlamaya, hüzünlenmeye o kadar hazırız ki, güzel bir söz, içli bir şarkı hemen boynumuzu büktürür.

Sadece acı ve hüzün mü? Eğlence mekânlarında insanları gözlemlediğinde ne kadar çok farklı duyguyu bastırdığımızı göreceksin. Kinayeli, isyan taşıyan, ne kadar güçlü olduğumuzu dile getiren, "Yıkılmadım ayaktayım", "Sen yoluna ben yoluma", hatta son zamanlarda "Ayısın sen", "Allah belanı versin" gibi insanı kışkırtan sözlerden oluşan şarkılar bağıra çağıra, sağ el havada söyleniyor. Ardından bir de sigara yakılıyor, şöyle havalı havalı. O anda o kişinin aklından ne geçiyor acaba? Onu yaralayan, kendini zayıf hissettiren kimler, neler geçiyor aklından kim bilir? Tıpkı filmlerdeki kahramanlarda görmeyi sevdiğimiz gibi, söylemek isteyip söyleyemediğimiz kelimeleri, yaşamak yerine içinde tuttuğumuz duyguları şarkı sözlerinde bulup, duygularımızı kusuyoruz. Mercedes görünümlü Şahin misal, bıçkın delikanlı görünen abilerimiz de bağıra çağıra nakaratlara eşlik ediyorlar. Asıl yapmamız gereken zamanda ve yerde değil, şarkılarda. "Ölmedik, yaşıyoruz", "Düştüysek kalkarız", "Delikanlıyız biz", "Güçlü kadınım ben". İçinde ne tutuyorsan tutma. Sen, duygularınla yaşıyorsun bastırma.

Bastırılan şey depresyona, bastırılan kızgınlık şiddete dönüşür. İfade edilmeyen tüm duygular, bir şeylere dönüşür. Bir süre sonra, ne ruhumuz ne bedenimiz bu yükü taşıyamayacak hale gelir.

Buzdolabında bozulmuş, artık kokuşmaya başlamış kurtlanmış etleri tutuyor musun? Buzdolabında tutmuyorsun ama içinde tutuyorsun. Yıllardır taşıdığın yüke dönüşmüş olumsuz duygular, özellikle de öfke, nefret tüm ruhunu, bedenini kokutuyor, kirletiyor.

Bazen duygularını ifade etmek, sonuçları değiştirmez. Karşındaki insanın da hatasını kabul ettiğini, pişman olduğunu göstertmeyebilir. Bazı durumlarda özür de, pişmanlık da, geriye dönüş de çözüm olmaz. Bazen de giden gider, yapan yapacağını yapar, hasarın seninle kalır. Bu saatten sonra, sana bunu yapana kilitlenerek yaşamak, içindeki kin ve nefreti taşımak, hatta intikam eylemleri sana hiçbir şey ama hiçbir şey kesinlikle hiçbir şey kazandırmaz, kaybettirir. Sende kalanı da senden alır götürür. Birini affetmek onu temize çıkarmak demek değildir. Gerçekten affetmek, kendini gerçekten özgür kılmaktır. Bunu yapamadığın sürece o kişi, o olay sana her gününde zarar vermeye devam ediyor. Affetmek karşındakine sunduğun bir lütuf değil, kendini temizlemektir.

Ayrıca, hiçbir şey yapanın yanına kar kalmıyor. İster karma de, ister ilahi adalet de, her birimiz her yaptığımızın karşılığını görüyoruz, alıyoruz. İyini de kötünün de, günahın da sevabın da...

Kendimi tanımak, anlamak, ifade etmek, hayallerime giden yolu inşa etmek. Ankara'ya doğru yola çıktığımda gecenin köründe birinin yola attığı cam şişe yüzünden lastiğim patlayabilir. Kızmak, öfkelenmek, küfretmekle zaman kaybetmek yerine bir an önce lastik sorunumu çözmem lazım. Ben Ankara'ya gitmek istiyorum. Kaybedecek zamanım yok.

Ben kendi hayatımı inşa etmeye çalışırken, hayallerime koşarken, yoldaki çer çöple, üzerime pisleyen kuşla kaybedecek zamanım yok. Hem belki o kuş da mavi gömleğimi deniz zannetmiştir ya da insanlar canını yakmıştır.

Cesaret... Her birimizin, harekete geçmek için, affedebilmek için ihtiyacımız olan şey biraz daha cesaret. Korktukça, kapandıkça, geriye çekildikçe çıkmaz sokağın duvarını sırtımızda hissedeceğiz.

Affetmek büyüklüktür denilir. Aslında çok şey anlatır. İnsan insanı, evreni, varoluşu, yaşamı anlayan, kendini gerçekleştirmeye yaklaşan insan "affetmek" sözcüğüne gerek bile olmadığını anlar.

Önce Zihnimiz, Ruhumuz; Sonra Bedenimiz Hasta Oluyor

Ruhun bu bedende deneyimlemek istedikleri deneyimleyebilmek için sana güveniyor. Deneyimleyemediğinde çok sıkılıyor. O yüzden yüreğin sıkışmaya başlıyor, uyku kaçış oluyor. Sonuçta uyku da ölümün bir provası. Sen yatağındayken, ruhun nerede sanıyorsun... Belki bir gün bunları da konuşuruz. Tekâmülünün yolculuğuna katıldıkça ölümün yükü azalır. Ölümün yükü azaldıkça yaşamın değeri artar. Yaşamın değeri arttıkça, dokunduğun her şeyin anlamı derinleşir. Anlam derinleştikçe tekâmülün hızlanır, yükselir. Bu döngüdeyken ölüm için endişelenecek negatif enerjin, zamanın da kalmaz. Eğer endişelenir, tekâmülünden vazgeçersen önce ruh ve zihin hastalanır. Ruh ve zihin hastalanınca da bedenin hasta olur. Bu da bedenin ölüm sürecini hızlandırır. Bu silsiledeki netliği görüyor musun? Lütfen görmeye çalış. Çünkü neredeyse her hastalık önce zihinde, ruhta başlıyor, sonra bedende yansımalarını buluyor.

Hastalıklar gümbür gümbür geliyor. Biz onları sadece kırmızı alarm çaldığında, neredeyse artık kamyon devrildiğinde fark ediyoruz. Çünkü ruhumuzu dinlemediğimiz gibi, bedenimizi de hissetmiyoruz.

Her gün ortalama 60-70 bin düşünce zihnimizde beliriyor. Ruhumuzu zaten pek dinlemiyoruz. Yapılan araştırmalar gösteriyor ki, bu düşüncelerin yüzde 80'e yakını korku ve endişelerden beslenen negatif düşünceler. Doktora ne için gidersek gidelim şu cümleyi duymuyor muyuz: "Lütfen en azından bir süre stresten uzak durun."

Negatif düşünceler, korkular ve endişelerden besleniyor. Ne kadar çok şeyden korkuyor, ne kadar çok şey için çoğu zamanda yersiz endişeleniyoruz. Korkuların birçoğu varsayım ve gerçekleşmeyenle bugünümüzü kirletiyoruz, ruh-zihin ve bedenimizi hırpalıyoruz.

İşimi kaybetmekten korkuyorum, sevgilimi kaybetmekten korkuyorum, sağlığımı kaybetmekten korkuyorum, yalnız kalmaktan korkuyorum, yaşlanmaktan korkuyorum, ölmekten korkuyorum, parasız kalmaktan korkuyorum...

Korkularımızı yazmaya devam etsem sayfalarca sürer. O kadar çok korktuğumuz şey var ki... Korktukça kabuğumuza çekiliyoruz, korktukça yaşamaktan vazgeçiyoruz. Korkudan kaçmaya çalıştıkça da kendimi korktuğum gerçekle karşılaşmış buluyorum. Yaygın ifadesiyle korktuğum başıma geliyor.

Aslında korkularımızın hepsi birer varsayım. Henüz

maaşımı alıyorken, yani henüz işim varken işimi kaybetmekten korkuyorsam, sanki işimi kaybetmişçesine bugünümü kirletiyorum. Korktuğum şey gerçekleştiğinde ise zaten korku kalmıyor, çözüme odaklanmak zorunda kalıyorum. Üstelik, korkuyla yaşamaya çalışmak korktuğum şeyin gerçek olmasına destek oluyor. Örneğin, işini kaybetmekten korkan birisinin yaydığı enerji, o baskıyla işini yaparken artacak olan hatalar hiç riski olmayan birisini bile işini kaybetmekle karşı karşıya bırakabilir.

Gitmek istemediğimiz yere, yaşamak istemediğimiz durumlara odaklanmak aslında bizi o olumsuzluklara yakınlaştırıyor.

Yarın sabah uyanacağımın bile yüzde yüz bir garantisi yokken, korkularımın esiri olarak kendi ellerimle kendimi kelepçeliyorum... Gitmek istemeyeceğim yere, yani korkularıma odaklanmak yerine; gitmek istediğim yere, hayallerime odaklanmak...

Hepimiz kendimiz için en iyi olanı istiyoruz. Mutlu olmak, yaşamdan tat almak, sevmek, sevilmek, paylaşmak istiyoruz. Korkularımız bütün arayışımızı gölgeliyor.

Yaşam elbette ki her zaman güllük gülistanlık değil. Elbette ki acı olaylar, yaşanmak istenmeyen durumlar başımıza gelecek. Ancak, neyin bizim için iyi, neyin kötü olduğunu da bilmiyoruz. Gerçekten bilmiyoruz.

Bir şey istemediğimiz gibi sonuçlandığında onun kötü olduğunu düşünüyoruz, ancak bilmiyoruz. İşimi kaybetmek kötü bir şey. Ancak, işimi kaybettikten sonra gelecek yeni bir iş teklifi ya da bulunacağım bir girişim hayallerini kurduğum hayatı bana getirebilir. İş dünyası bu şekilde başlayan başarı öyküleriyle dolu.

Korkularımız yüzünden yapmak istemediğimiz şeylere katlanıyoruz. Korkularımız yüzünden adım atamıyoruz. Hayat çok kısa bir o kadar da çok uzun. Sürekli korkularımdan kaçarak yaşamaya çalışabilirim ya da inadına hayallerimin peşinde koşabilir, düştükçe kalkmayı öğrenebilir, korkularımdan kaçmak yerine yaşamayı seçebilirim.

Bir düşün, geçmişinde yaşadığın ne kadar çok gerçeğe dönüşmüş korkun ya da korktuğun ama hiçbir zaman gerçeğe dönüşmemiş şey var. Belki işini kaybetmekten korktun, üzüldün, midene ağrılar saplandı ama hâlâ işinin başındasın. Ya da işini kaybettin, çok üzüldün ve şimdi belki o günleri hatırlamakta bile güçlük çekiyorsun. En büyük acıların açtığı yaralar bile bir şekilde iyileşiyor.

Zaman geçip gidiyor ve şu an geri gelmeyecek. Endişelenmeyi mi seçeceksin, yoksa yaşamak istediklerine, hayallerine mi odaklanacaksın? Korkunun omuzlarını eğmesine mi izin vereceksin, yoksa her durumda başını dik tutmak için elinden geleni yapacak mısın? Seçim senin.

Çünkü bu tablo senin hastalıklarına da, fazla kilolarına da davetiye çıkarıyor. Kendi olumsuz düşüncelerine tahammül edemediğin için kendini yemek yemeye vuruyorsun. Moralin bozuk olduğunda, bedenine yükleniyor, makyajlı gıdalarda mutluluk arıyorsun. Fazla kilolar, yaşamda yaşayamadıklarının, biriktirdiklerinin yansıması olabilir mi acaba?

Ruh-zihin ve beden üçü birden sağlıkta olduğunda şifadan söz edebiliriz. Sağlıklı beslenen, spor yapan, fit bedene sahip birisi, sürekli endişelerde boğuluyor, hasta olma korkusu taşıyorsa; ruhunda ağırlık yapan travmaları varsa şifa da olmuyor. *House* dizisini birkaç bölüm izleyip bıraktım. Zihnime adını hiç duymadığım hastalıkları sokmama gerek yoktu.

Tamamlayıcı tıp ilgini çekiyorsa −bence kesinlikle çeksin−, Louise Hay'in kitaplarını okumanı şiddetle tavsiye ederim. Seninle paylaşmak isteyeceğim her şeyi o yazmış zaten. Düşüncelerin, zihnin nasıl bedeni hataya sürüklediğini çok güzel anlatmış. O kadar çok örnek var ki kitaplarında. Mesela gelecek endişesinin göz bozukluklarını nasıl tetiklediğini örnekleriyle ortaya koyuyor. Bir danışanın hikâyesi ise ilginçtir ve bunun gibi çok örnek duymuş, bazılarına tanıklık etmişimdir.

6 yaşında bir çocuğun kalbinde delik tespit edilmiştir. Ameliyat kaçınılmazdır. Aile ameliyata hazırlanır. Ameliyat tarihi yaklaştığında son kontroller yapılır.

Doktorlar elde ettikleri bulgulara, gördükleri sonuca inanamazlar. Çocuğun kalbindeki delik yok olmuştur. Doktor çocuğa müjdeyi verirken aileye ne olduğunu, neler yaptıklarını sorar. Yanıtı çocuk verir: "Ben her gece iğne ve iplikle kalbimdeki dileği diktim. Sanırım sonunda dikiş tamamlandı." Bu hikâye çok ilginç geliyorsa, ilaç endüstrisinin de kabul ettiği ve çalışmalarında kullandığı placebo etkisini hatırla. Daha çok yeni açıklanan ve ağrı kesici bir ilaç üreticisi tarafından yayımlanan çalışma placebo etkisini ortaya koyuyor.

İlacın alındıktan sonra kana karışması ve ilgili bölgeye müdahalenin gerçekleşmesi için en az 30-40 dakika geçmesi gerekirken, ilacı alan kişilerin çoğunluğu 15. dakikada ağrılarının geçtiğini ifade ediyor.

Birçok hastalık zihinde, enerji bedende, çakralarda başlar organik bedende yansımalarını bulur. Ruhunu, zihnini temizler, duygu ve düşüncelerini berraklaştırırsan en azından hastalıklara davetiye çıkarmazsın. Kaldı ki sağlığına zarar verecek birçok alışkanlık da duygu ve düşüncelerindeki negatifliğin bir sonucu...

Ruh-beden-zihin birlikte hareket eder. Hastalığı da tedaviyi de birlikte yaratır. Modern tıp elbette ki ilk başvuru noktan. Ona da fazla beklenti yüklemeyelim. Biz her gün kendimizi ruhen, bedenen zehirlerken, modern tıp ne yapsın?..

Doğru soluk, doğru beslenme, doğru cinsellik, doğru

hareket hepsi birlikte ruh-zihin-beden üçgeninin ihtiyaçlarını karşılayabilir. Ancak hepsinden önce korku, endişe başta olmak üzere negatif duygu ve düşüncelerden arınmak önemli kıskançlıklarımız, affedemediklerimiz, öfke... Bu kadarı bile bizi hasta etmeye yeter. Ruhunu dinle, zihninin farkında ol, bedenine iyi bak. Söylemesi kolay değil mi?

Bu kitaptaki tüm bölümler ayrıca bunu gerçekleştirebilmene de hizmet ediyor. Kendini bilen, sevdiği işi yapan, iyi ilişkisi olan, yolunda yürüyen anlarının çoğunluğunda keyif alan insan bunu başarmaya çok ama çok yakın. Sen neden olmayasın? Seni hasta eden şey ve kişilerden kurtulmak için son nefesi mi bekliyorsun?

Ölümle Barışmayan,
Yaşamla Hiç Barışamaz

Korku senin olmadığın şeydir. Korku gerçekmiş gibi görünen sahte kanıtlardır. Olmadığın şey olmaktan vazgeçtiğin an korkulardan da kurtulacaksın. Başka biri olmaya çalışmak, başka biri gibi yaşamak yaratır korkuları.

Korku bizlere öğretilir. Çocuk korkuyu bilmez sonradan öğrenir.

"Korkuyordum… Ne kadar çok şeyden korkuyordum. Anne karnında yaşam damarımın göbek bağımın kopmasından korkardım. Küçükken ailemden korkardım, öncesinde çaresiz geldiğim bir dünyada kaybolmaktan. Sonra öğretmenlerimden korktum. Polisten, böcekten, sokak köpeğinden korktum. Korkularım değişmeye başladı. Yenileri geldi… Hata yapmaktan korktum, başarısız olmaktan, yalnız kalmaktan, beğenilmemekten… Durmadı çoğaldı… İşimi kaybetmekten, sevgilimi yitirmekten, yaşlanmaktan, hastalıktan, parasız kalmaktan… Hiç dinmedi çoğaldı, derinleşti… Reddedilmekten, sevilmemekten,

aldatılmaktan, değersiz olmaktan… Dört bir yanım korku dolmuştu. Onunla yüzleşene kadar tek motivatörüm korkularımdı.

Sıcak bir yaz akşamı yazlıkta denizdeyken karşılaştım onunla. Gecenin bir vakti, kafa biraz kıyak suya bıraktım kendimi. Su beni taşıyordu. Suda ağırlığım kayboluyordu. Tehlikeli, gizemli bir dokunuştu suyun bedenime doluşu… Yakamozların arasında salınırken ağırlığım fazla geldi. Gariptir hiç kımıldamadım, istedim ki su beni katsın bedenine, ruhuna… Tatlı bir maceraydı ta ki boğazıma su dolana kadar… Soluğum kesildi, teslimiyetim çırpınışa döndü, gökyüzünü beyaza boyayan ay bir göründü bir kayboldu. Uğultu, sessizlik… Birkaç dakika öncesinden daha derin bir huzur doldu bedenime… Suyun üzerindeki ayın ışığıydı benim karanlık tünelimin sonundaki ışık. Çok geçmeden film başladı ve yaşamım hızlı karelerle akmaya başladı. Garip olan korkularımdan eser yoktu gelen karelerde…

Azrail olduğunu söyleyen misafir suda yanımda belirdi. Hiç hayalimdeki gibi değildi. Elinde orak yoktu. Son derece şık giyinmiş, saçları özenle taranmış, hatta oldukça yakışıklı bir adam vardı yanı başımda. Yapılı, gözleri çakmak çakmak bakan, elmacıkkemikleri belirgin…

Suda süzüle süzüle dibe indik… Hiç konuşmuyordu… Dibe indiğimizde birkaç incinin masmavi anemonların kucağına yerleştim. Sırtımda hareketlerini hissederken, beni suyun içinde hamakta yatırır gibi taşıyorlardı. Azrail karşımda ayakta duruyordu. Bakışlarında şefkat vardı. Gözleriyle konuşuyordu. Gözlerimden yüreğime iniyor oradan bedenime yayılıyordu. Garip bir ürperti, derinden usul usul bir titreme...

'Sana tek bir şey soracağım.'

Sesi de gözleri gibi derinden, tok ve güvenli geliyordu. Cevap veremedim. Gözlerimi kapatarak soruyu sormasını bekledim.

'Şu anda her şeyden memnun musun? Yaşamına baktığında, tamamdır diyor musun? Söyle.'

Filme geri dönmek istedim ama şeritler, kareler bitmişti. Yerlerini yapamadıklarım doldurmaya başladı. Hayallerim, erteledikerim... Yaptıklarımın, yaşanmışlıkların karelerinde daha fazlası belirdi. Yaşanmamışlıklarım, yaşanmışlıklarımdan fazlaydı. Ne kadar çok istedim geri dönmeyi bir bilsen. Karelere dalıp denemeyi, sonucu ne olursa olsun ertelememeyi ne kadar çok istedim o an.

Ve sanki beynimi, ruhumu okudu, beni duydu.

'Sana bir şans daha vereceğim. Bir tek son şans. Birçoğu bu şansı bulmayı ne kadar çok ister de bulamaz. Bizlerin kredisi de çok sınırlı. Ama görüyorum, hissediyorum sen ikinci şansı hak ediyorsun. İnanıyo-

rum ki, bir daha hiç ikinci şansı olmayanlara da aslın-
da ne kadar şanslı olduklarını göstereceksin. Mutlaka
korkacak bir şey arıyorsan da, korkman gereken tek
gerçek bendim. Neredeyse her şeyden, benden daha
çok korktun. Sonucu değişmez gerçek olan tek korkun
benim. Bunu unutma, hatırla.'

Hayatımın ondan sonraki her anında bu son cüm-
leler kulaklarımda yankılandı. Ne zaman sıkışsam,
duvara çarpsam, daralsam bu sözcükler beni kendime
getirdi. Yaşamdaki hiçbir şey korkak bir insan olarak
yaşamaktan daha fazla yaralayamadı beni. Onunla
bir kez daha karşılaştığımda 'iyi ki ikinci sansı vermi-
şim' demesini sağlamak için yaşıyorum. Artık korku-
larımın bir varsayım olduğunu biliyorum ve en değerli
hazinemin yaşamımın 'an'larını bu varsayımlarla kir-
letmiyorum. Biliyorum ki çözümü olmayan tek gerçek
ve er ya da geç gerçekliği kesin tek korkum ölüm. O
zaman gerisinden niye korkayım?"

Ölümün korkmam gereken bir şey olmadığını biliyo-
rum. Sen ölümden korkuyor musun? Ölmekten kaçıyor
musun? Herkes gibi gecikmesi için elinden geleni ya-
pıyor musun? Azrail'den korkuyor musun? Sevdiklerini
alıp gittiği için Azrail'e kızgın mısın?

Bugün yaşıyorsam, öleceğim için yaşıyorum. Yaşam

olmasaydı, ölüm de olmazdı. Ölüm gerçekten bir son değil. Bence bizler sadece et, kemik bedenler değiliz. Öyle olsak bile hiçbir şeyin yok olmadığı gerçeğinden hareketle farklı formlarda bu dünyada var olmaya devam ediyoruz. Benim penceremden baktığımda, ruhlara sahip bedenler değil, bedenlere sahip ruhlarız. Bedenlerimiz miyadını tamamladığında ruh yolculuğuna devam ediyor. Sonrasına girmeyeceğim. Çünkü sonrası, her inanca, yaklaşıma göre farklı senaryolara gebe. Belki ruhlar âlemine geçiliyordur, belki tekrar tekrar dünyaya geliniyordur, belki de aynı dünyada gözle göremediğimiz varlıklar olarak bedenlerine sahip ruhlarla beraber var olmaya devam ediliyordur.

İnsan ömrü kozmik zamanda milisaniye bile değil. Ruh da beden de sona ermiyor, sadece boyut değiştiriyor. Sonsuz özgürlük, serbestlik, huzur. Böyle bakıldığında ölüm mutlu bir deneyim olarak bile algılanabilir. Başlayan her şey bitmeye de başlar. Tüm acılarımızın kaynağı gerçek sandığımız illüzyonlardan kaynaklanıyor. Düşen yapraklar, ağaç için yeni çiçeklerin habercisidir. Her birimiz yaprak değil, ağacız. Ölen yakınlarımızın en son isteyeceği şey bizim onlar için yas tutmamızdır. Oysa, ölümden sonra ruhun hazzını hissedebilsek üzülmezdik.

Seninle paylaşmak istediğim bu bedenlerimizde yaşarken ölümü nasıl kabulleniyorum, yaşamıma nasıl taşıyorum? Biliyorum ki, ölümü anlamadan, sindirmeden, barışmadan tam olarak yaşayamıyoruz.

Her birimiz ölümle farklı zamanlarda tanışıyoruz. Ölmekten bahsetmiyorum, ölüm ile tanışmaktan söz ediyorum. Belki küçük yaştayken kaybettiğin bir yakınının aniden senin yaşamından çıkıp gitmesi; belki katıldığın ilk cenaze töreni, belki tanık olduğun bir felakette, kazada ilk kez ölü bedenlerle karşılaşman. Bir şekilde ölümü fark ettiğimiz bir ilk an ve sonrası oluyor. Bazılarımız adeta ölüm gerçeği hiç yokmuş gibi, bir fanusun içinde ölümü hiç hesaba katmadan, varlığını yok sayarak yaşıyor ve bir gün fanus aniden kırılıyor. Az buz bir travma değildir böyle bir yüzleşme.

Cenaze törenleri birçok dinde, öğretide hüzünlü... Azında coşkulu bir kutlama. Hangisi daha doğru? Hangisi daha gerçek? Ölenin nereye gittiğini gerçekten bilmiyoruz. Ölenin neler hissettiğini de bilmiyoruz. Belki de zorunlu bir görev tamamlanıyor ve gerçekten ruh özgürlüğüne kavuşuyor. Belki de ölümün ardından davul zurnalarla karşılanıyor ve "geçmiş olsun" deniyor. Doğarken ne kadar çok ağlıyoruz. Bu bir ipucu olabilir mi acaba?

Emin olduğum şey, cenaze törenlerinde gidenlerden çok daha fazla kalanlar için ağlıyoruz. Bir daha göremeyeceğimiz için ağlıyoruz. Kaybettiğimizi yeniden hissedemeyeceğimiz, onun bize yeniden dokunamayacağı gibi bizim de ona yeniden dokunamayacağımız, içimizde kalan söylenmemiş ya da yarım söylenmiş cümleleri söyleyecek fırsatımız olmadığı için ağlıyoruz. Oysa yanımızdayken ne kadar çok zamanımız varmış, onu kaybedince anlıyoruz. Ben, gidenlerin ölümden sonra da bizi duyduklarına, yanımızda olduklarına, başka bir formda bize dokunabildiklerine inanıyorum. Bana nasıl diye sorma biliyorum çünkü deneyimledim, deneyimliyorum.

Ölülerden neden korktuğumuzu da anlayamıyorum. Cesaret timsali olduğunu söyleyen bir kişinin bile, bir gece mezarlıkta kalmayı ya da morga girmeyi duyduğunda nereye kaçacağını bilemiyorum. Canlısından korkmadıklarımızın, cansız bedenlerinden neden korkarız? Çocukluğumuzdan beri duyduğumuz hurafelerden, korku filmlerinin yarattığı hayalet algısından olabilir. Sebebi ne olursa olsun bu korkumuzun oturacağı bir yer yok. Hele ki kendi yakınlarımız, akrabalarımız. Kendi adıma, onun yokluğunda onu başka bir formda hissetmek korku değil huzur verir bana.

Çok iyi biliyorsun ki bir gün öleceksin. Belki de bu sayfa bitmeden. Bu kitap sana ulaştığına göre ben sayfayı, hatta kitabı bitirmişim. Ama belki şu anda sen okurken hayatta değilimdir. Biliyor musun ben ölümü kucaklıyorum, onu düşman olarak değil yaşamın ikizi olarak görüyorum. Asıl korktuğum, yaşayan ölü olmak, yaşarken ölmüş olmak. Bugün hayatta olduklarını sanan milyonlarca yaşayan ölü gibi. Yaşamı hissetmeyen, ritmini duymayan, neredeyse yaşadığı her saniyeyi ıskalayan, her şeye söylenen insanlar neden ölümden korkarlar ki? Belki de işte tam bu yüzden korkuyorlardır. Hâlâ yaşamaya başlamadıklarının farkında olarak, bir gün yaşamaya başlayacakları günün gelmesine fırsat kalmadan ölmekten korkuyorlar. Oysa her saniye, her soluk alış yaşamın ta kendisi.

Şu an asıl yapman gerekenlerin ipuçlarını bu sayfaya gelene kadar çok konuştuk seninle. Anlaşmamız gereken tek şey şu: Eğer sen hayatını sen gibi yaşar ve ertelemeden ilerleyebilirsen, ölümden korkmayacak ya da çok daha az korkacaksın. Eğer zaman kaybetmeden, sevdiklerinle paylaşmak istediklerini paylaşır, söylemek istediklerini söyleyebilirsen de onları kaybetmekten ve onların ölümünden daha az korkacak, daha az üzüleceksin. Daha az üzülmen kötü bir şey değil. Cenaze törenlerinde kocaman siyah gözlüklerini takıp, orada bulunmuş olmak için bulunanlardan çok daha gerçek.

Kolay değil, evinin bir ferdini yitirdiğinde yeniden o evde olabilmek. Eşyalardaki izlerini, odaya sinmiş kokusunu yaşamak. Koltuktaki yerini boş görmek, birlikte gittiğin yerleri bu kez yalnız deneyimlemek zor hem de çok zor. Ölümün gerçek izi, bizi korkutan şeyi sonrasındaki boşluk. Kaybettiğimizin yerinde kalan boşluklar. Koynunda uyuduğun sıcaklığın, gözlerini kapatıp dayadığın dudakların, huzurla başını yasladığın dizin artık olmayışı. Espriler, anılar, keyifli anlar, hatta acı anlar... Hepsi, sırayla geliyor.

Ölümü istemli bir ayrılık olarak kabul etmiyorsak eğer, onu hayatından çıkarmayacak yaşayacak olan sensin. Boyut değişti. Sevdiğin yine sevdiğin, annen yine annen, sevgilin yine sevgilin. Ben öyle yaşıyorum. Sevdiklerimin bedenleri hayatımdan çıkıp gidiyor, daha fazlası değil. Bazen yatağımda anneannemle konuşuyorum, bazen dedeme söyleniyorum. Babam neredeyse her gün annesiyle konuşuyor. Ne zaman sıkışsam anneannemi ensemde, omzumda hissediyorum. Fotoğraflarına bakmaktan kaçınmıyorum, mezarlarının başında sohbete oturuyorum. Evet bedenlerine dokunamıyorum ama her şeyi paylaşıyorum. Senin olduğun her yerde, dokunduğun her şeyde, her soluğunda yitirdiklerin seninle yaşıyor.

Küçük yaşta yaşanan büyük kayıpların acısı daha çok dokunuyor. Eksik kalan o kadar çok şey kalıyor ki... Küçük yaşta yitirilen anne, baba ya da sıranın karışmasıyla anneden, babadan önce giden evlat. Dolu dolu, doya doya paylaşılmış yaşanmış olanların yitirilmesinin acısından çok daha fazla... Tam bu noktada ben de tıkanıyorum, söyleyecek lafım tükeniyor, çünkü kelimelerin hiçbir kifayeti kalmıyor.

Ya senin ölümün? Ya senin ölümünden sonra geride kalanlar? Onların yüreklerine, anılarına neler kazıyorsun, senden sonraki dünyalarında onlara neler bırakıyorsun? Çocuğunla zaman geçirmeden ilgilen sen gidince eksik kalacak. Aşkınla daha fazla sevişmek için zaman ayır, daha fazla daha fazla onu hisset. Sen gidince, hiç hissedemeyecek. Annene, babana daha sıkı sarıl. Sonra sarılamayacaksın. Ölümün kitabında yarın yok. O yüzden yarın değil, şimdi yaşamak zorundasın. Kendini her an gerçekleştirmek, taşımak zorunda olduğun gibi. O yüzden hep soruyorum ya sana niye yaşıyorsun, kimsin sen, neyi bekliyorsun diye. Azrail bir yerlerden çıkıp gelmeyecek. O her an buralarda bir yerde. Yaşayan ölü olarak, yaşamayarak sunulmuş nimetin değerini bilmeyen bizleriz.

Yalnızlığa Acıkırım Sık Sık...

Bilirim herkes yalnızdır ama kaçar durur bu gerçe-
ğinden. Günün sonunda iki kişi de girse yatağa, uykuya
dalarken yalnızlığınla yüzleşirsin. Ki bu kötü değildir.
Bozkır kurdu sever yalnızlığını... Kalabalık, gürültü, za-
man öldüren can çekişmeler sıkar canını...

Deli gibi yalnızlığından kaçıyor insan, kaçmaya ça-
lıştıkça yalnızlaşıyor. Kalabalıklara karışmak, oyun-
caklar yaratmak, günlerini hafta sonlarını tıka basa
doldurmak bastırmıyor açlığını, aksine derinleştiriyor.
Anlamadığı bir girdabın içinde dönüyor, dönüyor, kay-
boluyor... Kendini yitiriyor. Dost sofraları, padişah ma-
saları, diziler, filmler, iş güç, çoluk çocuk, seks, sevgili
doyurmaz açlığını... Yalnızlık, su gibi yemek gibi çağırır
seni... Toplumsal yapıdan dışlanmak yalnızlık değildir o
başka bir şeydir, benim bahsettiğim yalnızlık varoluşu-
nun gerçeğidir. Bu ikisi karışır ve sebepsizce yalnızlık-
tan korkar insan...

Her yalnızlığım mutluluk getirmez elbet bana da...
Yalnızlık yüzleşmeyi, yüzleşmek örttüğün derin çukur-
ları gösterir... Cenin pozisyonum bekler beni gecenin
sessizliğinde... Gözyaşlarım dökülmek isterse açılır

ardına kadar kapılar... İlgi, şefkat, sevgi değildir o an beklediğim... Kendi yalnızlığımın beni götüreceği yere giderim. Ruhumun, bedenimin isteğidir bu...

Yalnızlığımdan uzaklaştığımda, ondan kaçtığımda, kendimden kaçarım. Kendine yabancılaşma böyle başlar. Gün olur kendime sarılır kalırım.

Yalnızlık düşmanın değil, ihtiyacın olan. Kendinle kalmak, yalnızlığın farkında olmak, içinde bastırdığın duymazdan geldiğin onlarca sesin yüzeye çıkışı. İşte o anlarda anlarsın aslında neyin eksik olduğunu, nerelerinin kanadığını... İşte bu anlarda güçlenirsin, büyümeye başlarsın.

Yalnızlıktan kaçmaya çalıştıkça insan, kayboluyor gereksiz kalabalıkların ortasında. İçindeki gürültüye teslim oluyor. Yalnızlığını yaşamak için dolduruyor her bir günün her bir anını. İş kadını toplantılara, yeni projelere, katılması gereken yeni aktivitelere karışıyor. Ev kadını, yeni yıkanmış tülleri yeniden indiriyor, evi topluyor tekrar tekrar. Hepimiz bir şeyler buluyoruz yalnızlığı kapatmak, kendimize dönmemek adına.

Sonra hayatımızda arabeskleştirerek daha da dayanılmaz hale getirdiğimiz yalnızlık halleri beliriyor. Yıllardır aynı yatağı paylaştığım insan, çıkıp gidiyor. Bir başıma kaldığımı hissediyorum. Bir yarım eksik, sevdiğimsiz günlere alışmaya çalışıyorum. Bu ara, içimde kapalı kalanlar da açığa çıkıyor. Dinlemediklerim, o an meydanı boş buluyor. Biraz durabilseydim görecektim belki de yanımdaki insanın çok daha önce gittiğini. Görmek istemedim, içimdeki sesleri yok saydım, sonunda gerçekle çok ağır yüzleştim.

Yürüdüğümüz sokaklarda, evin odalarında tek başımayım. O varken de bir yanım tek başınaydı. Kendi yalnızlığımızı bilemediğimiz, yaşayamadığımızdan aslında tükenmeyecek olanı bile tüketmenin kapısını araladığımızı bir görebilsek. Bir anlayabilsek, her şeyin daha berrak, daha güçlü yaşanması için varoluşumun yalnızlığını görüp, onu yaşamamın gerekliliğini...

Yaşamın doğası ölüm yalnızlığı getirir gün gelir. Yanımızdakiler hiç gitmeyecekmiş gibi yaşamak isteriz. Anda yaşarken bu doğru. Ancak, tablonun bütününe baktığımızda bu kaçınılmaz olan. Bir gün, yanındaki gidebilir, hiçbir şey olmasa bile ölüm araya girebilir. Yalnızlığını tüm benliğinle, her bir hücrende hissedersin. Kaçmaya çalışma, yaşa. Böylesi hallerde bile acı çekenleri yalnız bırakmıyor, ayrılanları yakınlarını kaybedenleri oradan oraya sürüklemeye çalışıyoruz. Bırak. Hiç değilse bu kez kendiyle kalabilsin, anılarını, paylaştıklarını ve yaşamın gerçekliğini deneyimleyebilsin. Yalnızlığın da acılarımız gibi yaşanmaya ihtiyacı var.

Kalabalık evler, sakinleşmeye başlar. Çocuklar evlenir, çocuklar büyür, çocuklar gider. Kabullenmek gerekir akışı, olacak olanı. Budur bize yaşadığımız her anın kıymetini bilmemizi sağlayacak olan. Hayatı kontrol edemezsin, bir kutuya doldurup ellerinde tutamazsın. Her zaman olması gereken olur.

Yaşlanmaktan bu kadar korkuyor olmamızın temelinde yalnızlık korkumuz güçlü bir şekilde var. Beğenilmemek, artık tercih edilmemek etrafımızdaki insanların eksilmeye başlaması. Bazılarımız bu yüzden evlenip, bu yüzden çocuk yapıyor. Yaşlılık, yalnızlık, terk edilmişlik, işe yaramamazlık değil. Aksine, asıl bilgi kaynağı, asıl yaşam rotaları yaşlıların elinde. Günümüz toplumları yaşlıyı yok saymaya çalışıyor, gençlere odaklanıyor. Tüketim toplumuna dönüşmemiz böyle sağlanıyor. Hepimiz genç olmak, genç kalmak zorundayız. Ömrüm yeter ve yaşlılığımı görürsem, keyifle bekliyorum olgun bir çınara dönüşmeyi. Keyifle bekliyorum, ektiğim çiçeklerin meyvelerini ağır ağır yemeyi.

Asıl korkmamız gereken dışlanmışlık, kaybolmuşluk hali. Kendimizi bir biçimde yaşamdan tecrit etmiş olmak. Bazılarımız şöyle diyor: "Çevremde anlaşabildiğim kimse yok." Büyük yanılsama. Bu cümleyi kuran kendisi nasıl kapandığının farkında değil. Eğer böyle düşünüyorsan, buna inanıyorsan beni bul.

Kendin oldukça, kendi kulvarında yürüdükçe, ihtiyacın olmayanla boğuşmaktan vazgeçtikçe etrafındaki kalabalık seyrekleşecek, gürültü azalacak. Bu iyi bir şey, bu gerçekten yaşadığının bir işareti olacak.

Aşklarımızın bile, yalnızlığımızı kapatmasını bekliyoruz. Bilmiyoruz ki, yalnızlığımı susturduğumda kendimi yok etmiş olacağım. Tek başınalık ile yalnızlığı karıştırma. Darülacezede, hastane odalarında, unutulmuş evlerde yaşanan tek başınalık değil bu.

Tek başınalığında kalmış olanların sessizliğine ses, en azından ortak olmayı unutma. Sokaklardan geçip giderken bir kenara sinmiş insanları görmezden gelme. Gözlerinde, seni çağıran insanları yok sayma.

Bu yaşamda unutulmuş, terk edilmiş anlaşılmamış değiliz. Sen, buraya kadar paylaştıklarımızı yaşayansan, yaşayabileceğin tek şey yaşaman gereken ihtiyacın olacak yalnızlık olacak. Asla öteki değil.

Günün getirdiklerinde kayboldukça, kendimizden uzaklaştıkça, ihtiyacımız olan yalnızlığı yaşamıyoruz. Durmaya, nefes almaya, kendimizle baş başa kalmaya ihtiyacımız var. Zamanım yok deme. Duşta ayıracağın 20 dakika bile işe yarar. Her gün kendine ayıracağın sadece 20 dakika yeter.

Ben seviyorum o anları... Sokağa çıktıktan sonra kolların, yüreğin açık olduktan sonra zaten paylaşıyorsun hayatı. Burun kıvırma. Buraya kadar okuyabildiysen, sohbete ortak olabildiysen bunu yapabilecek olansın.

Yalnız kalmaya o kadar çok ihtiyacım var ki şu an seninle de konuşmaya devam edemeyeceğim. Durmak, hiçbir şey yapmamak, tüm bedenlerimin çığlığına kulak vermek. Gözlerimi kapatıp, kendimi boşluğa bırakacağım. Kendi çukurlarımda yuvarlanacak, belki biraz ağlayacak sonra da gülümseyeceğim. Bir yorgunluk, bir bıkkınlık var yüreğimde... Manik depresif bir durum değil bu... Varoluşun dolgun bir yansıması.

Şimdi izninle... Işıklar sönecek, sesler kesilecek... Ben, sen, her şey serbest kalacak. Yorgunum... Kimse terapiye gelmesin. Kimse dağıtmasın... Beni bırakın kendi halime... Güneş doğduğunda yine gelirim ben yanına... Varsay ki gece yatmadan şarja taktığın telefonun gibi, kaynağıma, yalnızlığıma bağlanıyorum...

Dünya, İnsanlık Nereye Gidiyor?
Sen Hangi Taraftasın?

Ben bu satırları yazarken, sen bu satırları okurken, şu anda olduğumuz sayfa bitmeden kaç çocuk yetim, öksüz kalacak? Kaç kişi evini, işini kaybedecek? Kaç kadın satılacak, kaç çocuk kadın tacize, tecavüze uğrayacak? Her an, her saniye insanlar hasta oluyor, ölüyor, vuruluyor, kaybediyor, yorgun dünya da felaketleriyle eşlik ediyor.

Siyaset adeta dalga geçiyor. Uluslararası çıkarlar, şirketlerin doymayan açlığı, bireye yansıyan tüketim ve bencillik bizi biz yapan her şeyi Tazmanya canavarı gibi yutuyor emiyor. En azından Tazmanya canavarı sevimliydi, sizler değilsiniz. Hatta mide bulantısından daha ağırsınız.

Sokaklarda selamsız sabahsız dolaşıyoruz. Birbirimizden korkuyor, kimseye güvenmiyoruz, güvenemiyoruz. Bizden olmayanı yok sayıyor, bol bol "öteki" yaratıyoruz. Ötekileştirdikçe, ötekileşiyoruz, yalnızlaşıyoruz.

Zengin ile fakir arasındaki uçurum açıldıkça, artık zenginlik de fayda getirmiyor. Dünyanın bir ucundaki tatsızlık, diğer ucunun tadını kaçırıyor. Kontrolsüz göçü ne vizeler, ne de insanlık dışı engellemeler engelleyebiliyor. İnsan kaçakçılığı, kaçakçılığın liderliğini ele geçirirken, yaşamlar kararıyor, kalpler yollara dökülüyor.

On milyonlarca insan sağ kaldıkları güne şükrediyor. Ortadoğu'da bombalar patlıyor, Uzakdoğu'da çocuk işçiler, çocuk/genç seks köleleri yaşamın mengenesinde posasını bırakıyor. Ben şimdi sana yazarken, sen şimdi beni okurken yok sayabilecek misin? Bu acıyı hissetmeden, ortak olamadan sayfaları çevirebilecek misin? Çevirmeyeceksin biliyorum. Her birimiz dünyaya merhaba derken tertemiz geldik. Sevgi dolu geldik. Sonra yavaş yavaş bizi bizden çalmaya başladılar. İşte asıl büyük savaş, büyük kötülükle büyük iyilik arasındaki savaş insanların ruhunda böyle oynanmaya başladı.

Hiç kimse kötü doğmadı, doğmuyor da... Bir insan neden, nasıl canlı bomba olur? Bir insan, bir insana nasıl zarar verebilir? Ya göre göre öğrenerek, ya maruz kala kala mağdurdan zalime geçme tuzağına düşerek. Sen, ben, biz çığlıkları duymaz, görmezden gelir, bir de kaynağını beslersek, o çığlık bumerang gibi döner gelir seni, beni, temiz kalanı vurur, yok eder. Doğayı katleden müteahhitten, teröriste, uyuşturucuyu üretenden silah satana her bir bozulmuş kodda aynı senaryoyu görebilirsin biraz derinden bakarsan.

Eğitimsiz, fakir, zengin, türbanlı, poşulu, takkeli

haçlı, hepimiz bir ve tek olarak bütünün parçaları olduğumuza göre, her biri benim bir parçam, benim bir yansımam.

Şizofren, panik atak, bipolar, gerici, ilerici, yalnız, âşık, çapkın, sıkkın, manik depresif, öfkeli, sevgi böceği, hepimiz bir şekilde hayatta kalmaya çalışıyoruz. Bir şekilde yaşamı anlamlandırmaya, yaşamımıza anlam katmaya... Normal, anormal, iyi, kötü, her şey için soru aynı kime göre, neye göre... Hepimiz çıplak geldik, çıplak gidiyoruz. Elbiseleri attığımızda üç aşağı beş yukarı aynıyız. İşte her şeyimin, Yaşam Atölyemin, kitaplarımın, yazılarımın, televizyon programlarımın temelinde yatan gerçek bu. Bunun üzerine kendini inşa etmek, birlikte yaşamak, paylaşmak, sana ait hayallerine önyargısız koşmak... Etiketsiz, maskesiz... Gerisi beni ilgilendirmiyor. Ben de bir şekilde varoluşumu yaşıyorum.

Bazı geceler geceye sığınırsın; sabah olmasını istemezsin. Belki bir kadeh şarap, belki bir paket sigara, belki birkaç şarkı ya da hepsi eşlik eder gecene... Güneşin doğuşu, şehrin uyanması gecikebildiği kadar geciksin istersin. Sana ait olan dünyandan kopmak istemez, yüreğindekileri masanın üzerine döküp kendinde kaybolur yitersin ve bilirsin yine sabah olacak. Belki de tüm sorun geceyi güne taşıyamamak, geceyi gündüzle, gecedeki seni gündüzdeki senle birleştirememektir. Gündüz olduğunda benzeştiklerimiz değil, ayrıştıklarımız önem kazanıyor, odağımız gerçek olandan yalan olana kayıyor.

Her ölüm haberi, her töre cinayeti, insana yakışmayan her vaka yüreğimin bir parçasını donduruyor, taşa çeviriyor. Bir süre sonra görmezden gelmeye, anlamazlığa vurmaya başlıyor insan. Her yok oluş yeni bir doğuş olmuyor her zaman. Sessizliğim çok şey anlatması gerekirken, insanlar beni sorunlu görüyor. Akıl vermeye, eleştirmeye gelenler sadece bedenimi görüyor. İçeride olanı görmüyor. *Cesur Yürek*, *Gladyatör* filmlerinden çok daha renkli film sahneleri gibi iç dünyam. Alev alev yanan yaralar, dörtnala koşan duygular, sert bir fırtına, yüreğimden yükselen senfoni, yıkılan dağlar, yanmış ormanın dibinde açmaya çalışan çiçekler. Spartalılar gibi bir avuç kalmış umut askerleri... Bana sorunlu, hatta bazen zavallı gözlerle bakanlar bilmiyor içimdeki savaşı. Gözlerimle taradığım dünyaya karışmaya hazır değilim. Dışarıdaki savaş, içerideki savaştan çok daha anlamsız, nedensiz...

Çocuklar petrol için, elmas için kurban ediliyor. Savaştan, acıdan uzak olanlar da, o kurbanların kurban olmasına neden olan daha fazla tüketimi sağlamaya çalışırken dolaylı kurbana dönüşüyor. Plazaların katlarına sıkışanlar, kredilerini, taksitlerini ödemek için stres içinde boğuşurken, onları tutsak eden satın aldıklarının kurbanlarını dolaylı olarak vurduklarının farkında bile değiller. Her iki taraf da boğulurken, arada birileri elleriniz sıvazlıyor. İster buna dünya düzeni de, istersen kapitalizm de, istersen demokrasi de. Adını ne koyduğunun bir önemi yok. Gerçek olan, son sürat uçuruma giden bir otomobil gibi, bir şekilde her birimizi kendi idam sehpamıza tırmanıyoruz. Farkında olmamamızın tek gerçek nedeni de kendimizden, yüreğimizdeki sesten uzaklaşıyor olmamız. Kendimizi unuttukça, her birimiz kurbana dönüşüyoruz. Sadece kurban ve infaz sahneleri farklı. Kimisinde başa dayanan bir namlu, kimisinde zarftan çıkan kredi kartı ekstresi.

Hal böyleyken, doğa, doğanın gerçek sahipleri gerçekten kimin umurunda. Hava kirlenmiş, ağaçlar kesilmiş, on binlerce canlı türü insanın eliyle yok olmuş gitmiş kimin umurunda. Bir avuç gerçek duyarlı insan... Onlar da olmasa umut hiç kalmayacak. Kurulan yardım kuruluşlarının çevre örgütlerinin birçoğunun faaliyetlerini samimi bulmuyorum. Çözüm aradığımız sorunların kaynağını yaratanların finanse ettiği kuruluşların, bir tür günah çıkarmaktan öteye geçemediğini görebiliyorum. Sosyal sorumluluk çalışmaları adı altında lav silahlarıyla yangın çıkarılan yere, çay kaşığıyla su atılmasından öteye geçemiyor. Bazılarındaki bu çay kaşığı, daha güçlü lav silahlarını kullanmanın paravanı oluyor.

Bir insana en büyük yardım onu uyandırmaktır. Bir ulusa en büyük yardım kalkındırmaktır. Sürekli yardım, yardım edeni güçlendirir, yardım edileni güçsüzleştirir. Karşındakini muhtaç kılmak yardım etmek demek değildir. Bireysel de, toplumsalda da zarar veren, inciten taraf temize çıkmanın tek yolunu yardım etmek olarak görüyor.

Sahip olanlar, olmayanlara imkân sunmak adı altında somuruyor. Milli gelir zenginin kazancını haklı göstermek için kullanılıyor. Milli gelir yükselirken, yoksullaşma derinleşiyorsa bu tabloda gerçekten kim kalkınıyor?

Politika, tartışma programları, hazırlanan raporlar, istatistikler, çözüm önerileri, barış çağrıları, savaş ilanları, kocaman bir tiyatro sahnesinin öğeleri... Ben bu oyunda yokum. Beni bu salonda oturtmak istiyorsanız koltuğa bağlamanız gerekiyor. Sen de oturmak istemiyorsan, sanma ki büyük savaşlara, mücadelelere girmen gerekiyor. Sana bu oyundan, bu salondan kaçmanın kısa kaçış planını vereceğim. Aslında önceki sayfalarda vermeye başladım da... Zaten kendin olmaya başladığın anda, yüreğinin peşinden gitmeye başladığın anda sırtını sahneye dönüp, "exit/çıkış" yazan kapıya yürümeye başlıyorsun. Bu kez oyunu sahneleyenler sana odaklanıyor, salondan çıkmaman için bağırıp çağırıyor. İşe yaramayınca ikramlarla, tatlı sözlerle geliyorlar. Ne yüreğin ne de sezgilerin bunu yemiyor. Sonunda kapıya ulaşıyorsun. Tıpkı *Truman Show* filminde olduğu gibi.

Kendi yaşam alanından, kendi çevrenden başlayacaksın. Kendini koruduğun, salondan çıktığın gibi onları da koruyacak, salondan çıkaracaksın. Sen ışık olacaksın. Dışarıdan ışığın, kurtuluşun gelmesini beklemek yerine sen umut olacaksın. En son ne zaman yakınındaki bir insana değerli olduğunu hissettirdin. Yermek, eleştirmek, duvarlarının arkasından konuşmak yerine ne zaman sarıldın? En yakınındakinin, eşinin, babanın, annenin, çocuğunun, arkadaşının, dostunun çığlıklarını duyuyor musun? Yoksa sen de gurura, kibre kapılıp, oyuna kapılıp cephe mi alıyorsun?

Sabah işe giderken sokakları süpüren temizlik işçisine gülümseyerek verdiğin bir selam bile karanlığı parçalayan bir ışık yaratıyor. Mendil satan çocuğa biraz para verip iyi insan olduğunu sanmak yerine, onunla birkaç dakika bile olsa gerçekten ilgilendiğinde, konuştuğunda, başını okşadığında ışık oluyorsun. Metroda, vapurda üzgün gözlerle uzaklara dalan bir insanı görmezden gelmek yerine, yanına oturum bir kaç kelam ettiğinde ışığa dönüşüyorsun. Elinin değdiği, sözünün gittiği her yere sevgini, yüreğindekileri taşıdığında ışıktan bir varlığa dönüşüyorsun. Sen de güzelleşiyorsun, büyüyorsun, tiyatro salonuna geri dönme olasılığını yerle bir edip, yaşamaya, var olmaya başlıyorsun.

İlerleyen sayfalarda konuşacağız; bugün eşler, ebeveynler, aileler ışığı paylaşmıyor, aralarına duvarlar örüyor. Çocuklar ölmüş, savaş çıkmış, kaplanların soyu tükenmiş çok mu hal böyleyken. Kaos, düzeni getirir. Düzen öncesindeki en üst seviyede kaosu yaşıyor dünya.

Eğer sen, eğer ben insanları ayrıştırırsak, dil, din, ırk üzerinden sınıflandırırsak, makro düzende, yani toplumda, siyasette bunun aynı şekilde devam etmesi normaldir. Toplum bireylerden oluşuyor. Din, dil, ırk ayrımcılığından uzaklaşmış, insanı insan olarak görebilen bireyler çoğaldıkça, toplum da değişir. Sevgiyi bulan, huzuru taşıyan bireyler çoğaldıkça toplum da huzuru, sevgiyi taşır. Sakın dış mihraklar falan deme. Sen nasıl sağlam dururken kimse seni değiştiremez ve yıkamazsa, sen nasıl içinde güçlüyken dışarıda da güçlüysen, toplumlar ülkeler için de aynısı geçerli. Bir ülke, önce kendi içinde sağlam olduktan sonra, kendiyle barışık olduktan sonra hiçbir dış güç yıpratamaz, yere yıkamaz. Zaten bu yüzden değil midir, tüm istihbarat şirketlerinin önce ajanları kullanarak içte karışıklık çıkarmaya çalışması. İçeriyi zayıflatmadan, dışarıdan yıkamazsınız. Bireysel ya da toplumsal bu ilke çalışıyor. Sen nasıl için dışınla bir bütün olabildiğinde kimse seni yıkamaz, yaralayamazsa, işte bu da aynısı.

Big Fish filminde rüya gibi bir kasaba vardır. Eğer bir gün dünya böyle olursa, gerçekten bir ütopya gerçekleşirse, herkes dost, sevgili olursa, kim silah alır, kim kanser olur, kim depresyona girer?.. Nasıl sektörlere birer birer çöker?.. Bugün yüz binlerce insan sokaklarda yürüyor, hiç tanımadığı "öteki"ni öldürüyor, dışlıyor, dünyasını daraltıyor. Sonra başka bir "öteki" aynısını ona yapıyor. Türkiye'de de böyle olmadı mı, böyle olmuyor mu? Ayrılıkta, ayrışmada ne toplumsal ne de bireysel düzlemde kazanılacak bir şey var.

Türbanını örtüp namazını kılan, şarabını doldurup aşka selam veren, Marx'ın fotoğrafını odasına asan, Fenerbahçe formasıyla uyuyan, Galatasaray ile uyanan, kadınların peşinde koşan, eşcinsel yönelimini yaşayan, kısaca, özde her neye inanıyor, nasıl yaşıyorsa herkes, her birey önce insan. Bu benim için son nokta. Bana sorsan sınırlar da gereksiz. Böcekler, kuşlar, köpekler sınırları geçerken, insan durduruluyor ve onayı isteniyor. Hangi özgürlük, hangi serbestlik, hangi insanlık?.. Düşüncesini kelimelere döktüğü için insanlar mapushanelere tıkılıyor, başına kurşun sıkılıyor, deli denilip tımarhaneye kapatılıyor. Bu mu uygarlık, bu mu gelişmişlik?

Ahmet Kaya dinliyorum şu an. Yanımda duran gazetelerde de Kürt sorununun çözümü yolunda atılan adımlar adına barış çığlıkları atılıyor. Ahmet Kaya Kürtçe şarkı söylediği için vatan haini diyen köşe yazarları, bugünkü süreci alkışlıyor. Pisi pisine giden kim? Erken konuştuğu, geleceği erken dile getirdiği için yitip giden kim? Farklı dilde şarkı söylemeyi vatan hainliği ilan eden kim?

Belki beni çok saf görüyorsun. Belki kandırılmış. Belki aptal. Umurumda değil. Hiç kimse beni etiketler yüzünden insanları ayrımlaştırmaya, ötekileştirmeye ikna edemez. Suiistimal edilebilir. Her ırkta, her dinde, her toplumda kötüler var. Kandan, nefretten, düşmanlıktan beslenenler var. İstisnasız her grupta, toplumda, ülkede var.

1915 olaylarında birkaç kendini bilmez Ermeni çetesi, teröristleri bahane edilerek yüz binlerce insan göçe zorlanmadı mı? Cahil, yönlendirilmiş, yanlış bilgilendirilmiş insanların eline teslim edildi. Kış, çamur, kadın, çoluk çocuk. Bugünden örnek versek PKK'dan daha zayıf bir örgüt için Türkiye'de yaşayan Kürt kökenli vatandaşların sınır dışı edilmesi gibi bir şey. 6 Eylül 1955'te de aynısı olmadı mı? Yalan yanlış haberlerle, insanlar galeyana getirilip, asıl amaçların üstü örtülerek on binlerce insan evlerinden, işlerinden edilerek yuvalarından koparıldı.

Çok uzağa gitme, bugün bazen ben Ermeni kökenliyim, Türkiye Ermenisi'yim dediğimde "Estağfurullah abi" diyenler var. Onun bir suçu yok ki. Ne duyduysa, ne okutulduysa, öyle büyüdü. Her gün birkaç mail gelir. "Pis Ermeni s...tir git; defol" vs. Bilmez ki, ben de bu ülkenin çocuğuyum. Ben de askerliğimi yapmışım, ben de en az muhtemelen daha fazla o mesajı atan kadar Türkiye'yi savunur, ülkeme sarılırım.

Hatta beni Ermenistan ile özdeşleştirir. Benim vatanım da, kökenim de, benliğim de ne alaka Ermenistan ile. Dönüp bana Azerilere yapılan katliamların hesabını sorar. Hrant Dink'in katledilişine karşılık Ermenistan-Azerbaycan olaylarını örnek verir. Ne alaka, kel alaka. Bana ne Ermenistan'dan. Senden çok kınarım dünyanın neresinde olursa olsun şiddeti, kanı, adaletsizliği...

Uzun lafın kısası tarihin, siyasetin, ekonominin, etiketlerin arkasındaki insana döndüğümüzde insana yakışanı, dünyanın ihtiyacı olanı buluyoruz. Önce kendi içimde, sonra en yakınlarıma, sonra halka halka çevremde sevginin, önyargısızlığın ışığını saçabilirim. Bir gün ışığımı söndürecekleri kesin bile olsa son ana kadar yakmaya devam ederim. Senin de bunu yapabileceğini biliyorum. Her insanın bunu yapabileceğini biliyorum. Yeter ki, çocukları kirletmeyelim, tarihten önce insanı, bilimden önce sevgiyi öğretelim. Nasıl ki deprem anında, enkazda kalanları kurtarırken sormuyorsak nereli olduğunu, neye inandığını, nece konuştuğunu, günlük hayatta da takılmayalım bunlara... Ancak bunu becerebildikten sonra dünyaya ve dünyayı paylaştığımız ağaca, hayvana, böceğe sahip çıkabiliriz. Daha insana insanca davranamayan, doğaya, diğer canlılara nasıl davranabilir ki?

Mengenenin arasına sıkışan bedenler gibi, sevgisiz umutsuz kalan yürekler. Hiçbir şey tutmuyor yerini başımı yasladığım göğsün, hasta yatağımın yanında elimi kavrayan elin, sabahın bir köründe yanıma koşan dostumun... Ne kadar çok hırpalıyoruz, nasıl tükeniyoruz. Şehrin gürültüsünde her birimiz yan yana birbirimizden bir haber bazen birbirimizin yanından geçip gidiyoruz. Birimiz otobüsün camına alnını yaslamış, birimiz sahil kenarında denize dalmış, birimiz bilgisayarın ekranına gömülmüş, birimiz salonun koltuğuna sinmiş, birimiz koşu bandından kendinden kaçarcasına koşuyor... Mutfaktayız, banyodayız, bir yerlerdeyiz... Birbirimize bu kadar yakınken o kadar uzağız. Aynı şeye acıktık, aynı şeye susadık. Başımı alıp yollara düştüğümde, kelimelere gömülüp şu an olduğu gibi sayfalara döküldüğümde sana karışmayı umuyorum. Duygusallık değil bu. Cesaret duvarlar örmek değil, duvarları yıkabilmek. Seni, beni, bedenlerimizi, yüreklerimizi, sözcüklerimizi ortaya döküp birleştirebilmek. Cesaret, sevmeye çalışmak, sevgiyi aramak değil, bedenimi örten cam duvarları parça parça edip yaşama, sana karışabilmek. Bu kötü ya da iyi değil... Sadece yaşamın bir parçası, dokusunda olan katmanlardan sadece bir tanesi...

Şimdi her kimsen, her nerdeysen, her neye inanıyorsan, her nasıl giyiniyorsan, her nasıl yaşıyorsan sana kocaman sarılıyorum ve odamın ışıklarını kapatıp öylece kalıyorum.

Taraf olma tanık ol, dünya insanı ol.

Para,
Sana Bunlardan Hangisini Getirecek?

"Zordur işim benim. Gecem gündüzüm olmaz. Elden ele dolaşır, karanlık ceplerde soluksuz kalır, sıkışmış cüzdanlarda terlerim... Ama sanma ki budur işimin asıl zorluğu... Asıl zorluk, gördüklerimi sindirebilmem, vicdanıma sığdırabilmemdedir. Hele o suçluluk duygusu yok mu? Yer bitirir beni. Sorumlu tutarım kendimi, sanki yaratanım kendimmişim gibi.

Islak ıslak yeni basılmışken, bana bakan ilk gözde gördüm kendimi. Gözlerde bana sahip olma arzusu vardı, dönüşüme, renklerime hayran bir bakış...

Benim için kendinden vazgeçenleri izledim, gömleğinin düğmelerinden göğüslerini dışarıya salan körpe bedenlerde dolaştırıldım... Benim yüzümden kadınlar dayak yedi, kurşunlar bedenlere işlendi, çocuklar ağladı, bedenler toprağa düştü. Cebinde ben olmadığım için çocuğuna oyuncağı, hastasına ilacını alamayan babanın gözyaşları oldum. Sayısını hesaplayamayacağım insanın hayallerinde yer alırken, o insanların hayalleri sandıkları ben için aslında neleri feda ettiklerini gördüm.

İntihar bile edemeyecek, kendi ölümünü bile seçe-meyecek âcizlikteyim. Çöpe, lağıma düştüğümde bile vazgeçilmez oldum. Nice uğraşları göze alıp yine ulaş-tılar bana...

Güçlü olan ben değilim. Beni güçlü yapan sizin düşünceleriniz, sizin dünyanız. Ben senin yarattığın bir kâğıt parçasıyım ama sen beni hükümdarın gibi görürsün. Bana tapar, neredeyse önümde secdeye ya-tarsın. Dilinden yalan çıkar, temel taşlarının üzerine beni koyar sonra da yüreğinin yaralarını sararsın. Be-nim için inandıklarından, kendinden vazgeçersin.

Dedim ya; sen insansın ben ise sadece senin yarat-tığın bir kâğıt parçası. Ve bu yükü taşıyabilecek kadar güçlü değilim. Her şeyden beni sorumlu tutuyorsu-nuz. Oysa sorun sizsiniz... Sorun sensin... Beni ra-hat bırakın artık... Bensiz, gerçek dünyanızı bulun ve orada kalın."

Ne diyorsun? Bence çok haklı. Dünyanın bütün ağırlığını banknotların üzerine yıktık. Aşkı, sevgiyi, hayalleri, paylaşmayı, ölümü, acıyı mutluluğu, inancı, imanı insana dair ne varsa neredeyse tamamını paranın omuzlarına bindirdik.

Buraya kadar konuştuğumuz hangi değeri "para" ya-ratabilir? Sakın beni yanlış anlama, elbette ki hayatı-mızı devam ettirmemiz için para olmazsa olmaz. Elbette ki, bizim ve sevdiklerimizin bugünü ve yarını için para olmazsa olmaz. Ancak, bugün paraya tapan, para için dini imanı satabilen bir dünyadan söz ediyoruz. Temel ihtiyaçlarını karşıladığın noktanın ötesine geçtiğinde neyle, neyi satın alıyoruz sorusunu sorarım. Jim Carrey'in şu lafını çok severim: "Tanrım, bir gün bütün insanlara istedikleri kadar para ver ki asıl ihtiyaçlarının o olmadığını anlayabilsinler."

Senin parayla aran nasıl bilmiyorum. Cebindeki paranın azlığı ya da çokluğu parayla sorunun olup olmadığının cevabı değil. Hep birlikte bir şeyi çok fena unuttuk. Para hiçbir zaman amaç değildi, olamazdı. O bir araçtı. İhtiyacımız olanı alabilmek için takas yapmak yerine bulduğumuz bir çözümdü. Sonra her şeyi onunla ölçer olduk. Sadece şekeri, pirinci değil, insanı, değerlerini, sevgisini bile... Kölelik dönemlerinde bir kap yemeğe, yatacak bir yere karşılık çalışıyorduk. Şimdi ise, yine aynı sistem çalışıyor. Sadece alabildiklerimiz daha çok, yükümlülüklerimiz daha fazla.

Parasızlığın da zenginliğin de ne demek olduğunu çok iyi biliyorum. Market alışverişinde cebindeki parayı tutturma telaşını, kredi kartının şifresini girdikten sonra onay verip vermeyeceğinin stresini, beğendiğin bir şeyi almak isterken yaptığın hesapları... Ordan alıp buraya koymak, ay sonunu denkleştirmek. Borç istemek zorunda kaldığında hissettiklerini, tatilini bile hesap kitapla geçirişini... Yoksulluğu tanıyorum, biliyorum, yaşıyorum. Çok paran olması da yoksul olmadığın anlamına gelmiyor. Çünkü bir üst sınır yok. Kıyasladıkça görüyorsun ki, kıyasladığın yere göre zengin veya yoksul oluşun değişiyor.

Yaşamak için senin kadar benim de paraya ihtiyacım var. Ama ne kadar ihtiyacımız var? Ve karşılığında ne ödüyoruz? Bu iki sorunun cevabını doğru verdiğimizde parayla barışmanın ilk adımlarını atıyoruz. Daha fazlasını kazanmak için nelerden vazgeçiyoruz?

Daha lüks bir ev için, daha pahalı bir saat için sevmediğin bir işte daha fazla çalışmak zorunda kalıyorsan, yaşamda sevdiğin şeyleri yapmaya zamanın kalmıyorsa satın aldıklarının bir anlamı da olmuyor. Ben de lüksü seviyorum. Ben de en iyisini alabilmeyi tercih ediyorum. Yalnız işin sırrı şu, onlara ulaşmak için yaşamak ve çalışmak değil; yaşıyor ve çalışırken onların sana gelmesi.

Para için çalıştıkça, para için yaşadıkça seni tatmin edecek kadarının sana gelmesi mümkün değil. Para odaklı kariyerden de bir hayır gelmez. Başarılı kariyerde, diğer her şeyde olduğu gibi para peşinden gelir. Üstelik yapmak istemediğin birçok şeyi yapmak zorunda kalıyorsun. Bir süre sonra borçlu yaşamak da alışkanlığa dönüşüyor.

Sadece sen ve ben değil; şirketler, ülkeler borçlu yaşıyor. En iyi dostluklar bile alacak verecek davasında bozuluyorken, ülkelerin savaşması çok şaşırtıcı değil. Bugün para yüzünden evlilikler bitiyor, evlilikler başlıyor, akrabalar birbirine düşman kesiliyor.

İnsan başarılı olduğu, yani sevdiği işi yaptığında er ya da geç daha fazla kazanıyor. Kazanırken de mutlu kazanıyor. Parayı doğru anlıyor. Sevmediğin işleri yaptığın sürece ihtiyacın olan para sana gelmeyecek; gelse de yetmeyecek, tatmin etmeyecek. Sevdiğin, inandığın şeyi yaptıkça büyür, güçlenirsin. Bugün milyonlarca insan, katlanmak zorunda hissettiği işleri yapıyor. Bu yüzden batağa daha çok saplanıyor.

Eskiler ayağını yorganına göre uzat derken sanki bugünü öngörüyorlardı. Sadece geçen ay para harcadığın şeylere bir bak. Ne kadarı gerçekten ihtiyacın olandı. Ne kadarı mutsuzluğunu bastırmak, kendini iyi hissetmek, çalışırken ürettiğin mutsuzluğun doyurulması içindi? Sevdiğimiz bir şeyi borçlanarak alıyoruz; sonra o borcu ödemek için satın aldığımız şeyin keyfinden fazla stres yaşıyoruz. Cebindeki kadar yaşadığında, dik duracak gücün, tavrını koyabileceğin bir lüksün oluyor. Kredi kartların, kredilerin, borçlanabilme gücün senin satın alma gücün değil. Bizim olmayan parayı, bizim sanıyoruz. Sonra da döngü hiç bitmiyor.

Tarihte en zenginlere baktığımıza, para için çalışanlar olmadığını görüyoruz. Steve Jobs, para kazanmak için bilgisayar dünyasını değiştirmedi. O bilgisayar dünyasını değiştirmek için yola çıktı, para arkasından geldi. Ressamlar, besteciler para için yaptıklarından değil; sanatlarını sergiledikleri işleriyle büyük paralar kazandı. Sevdiğin ve inandığın şeyin peşinden gidince gerçekten kazanırsın.

Belki bu kazancın doğrudan nakit olmayabilir. O yüzden sık sık "Neyle neyi satın alıyorsun?" diye sorarım. Belki havuzlu bir evin yoktur ama, istediğin saatte uyanıyor ve kimsenin ağız kokusunu çekmiyorsundur. Belki havuzlu bir evde yaşıyorsundur, en lüks otomobili kullanıyorsundur ama nefes alacak zamanın bile yoktur. Stresten uykuların kaçıyordur ve canının istemediği şeyleri yapmak zorunda kalıyorsundur. Şimdi hanginiz daha zengin?

Daha tehlikeli olan ise, paranın kimliğe dönüşmesi. Kendini parayla ifade etmek, saygıyı, sevgiyi, ilgiyi maddi zenginlikle bulmaya çalışmak. Yeniyetme zenginlerin düştüğü durum. Kıyafetiyle, saatiyle, eviyle, otomobiliyle kendini tanımlayıp, bunlarla duyguları satın almaya çalışanlar. Hiçbir zaman tatmin olmayacaklar, kendilerini tanımadıkça; süslü oyuncaklar olmadan da sevilebileceklerini, değerli olduklarını anlayıncaya kadar.

Önce orta büyüklükte bir tencerede iki bardak su ve bir deste euroyu orta ateşte kaynayana kadar karıştırıyoruz. Ardından bir avuç dolusu madeni para ve yarım deste dolar ekliyoruz. Lapa kıvamına geldikten sonra kısık ateşte 15 dakika pişirmeye devam edip, servis tabağına alıyoruz. Üzerine iki tutam altın serperek servis edebilirsiniz. Yaşamımızda maddi hiçbir amacın olamayacağını anlamakta zorlanıyoruz. Oysa, amaçladığımız hiçbir şey maddi değil.

Bir fincan kahve alırken bile, amacımız fincan ve kahve değil, onun bana vereceği haz, tat, sıcaklık. Asıl ulaşmak istediğimiz, bizde yaratılacak olan duygu. Çok pahalı, lüks bir otomobilin vereceği konfor, güven veya güçlü olma hissi, beğenilme, takdir edilme, gurur her neyse... Her birimizin beklentisi farklı. Koyduğumuz hedeflerde ulaşmak istediğimiz bir duygu var. Bunu görebildiğimizde amaç ile aracı karıştırmıyoruz. Bir ilişki yaşamamdaki amaç da, o ilişkinin bana kattığı duygular. Huzur, mutluluk, tutku, tatmin, beğenilme, her neyse... Para ile yemek yapamam, yemeği satın alırım. Para ile giyinemem, giyecek alırım. Para ile ihtiyacım olanı satın alırım. Bunu alabilmem için para bir araç sadece.

Bugün milyonlarca insan sadece para kazanmak için çalışıyor. Paraya sahip oldukça, sonuç alabileceğini düşünüyor. Oysa, para için koştukça para bizden kaçıyor.

Yüksek gelirliler üzerine yapılan araştırmalar hep aynı şeyi söylüyor. Bu insanlar yaptıkları iş her ne olursa olsun onu severek yapıyor ve yüzde 100 performansını ortaya koyuyor. Sadece alacağı maaş için işe giden bir insanın, sahip olduğu yetileri ve performansını tam kapasite kullanması mümkün değil.

İnsanların, hobi olarak başladıkları işlerde sonrasında çok ciddi paralar kazandığını da araştırmalar ortaya koyuyor. Nedeni çok basit. Onaylanma kaygısı olmadan, severek yaptığı işte kendini tam olarak ortaya koyabiliyor ve farklılık yaratıyor. Parayla satın alınamayacak şeyler ise, yaşamımızda hiç de küçümsenecek şeyler değil. Örneğin daha fazla kazanmak için değerlerimden, özgürlüğümden, kaliteli zamandan çalıyorsam, kendimi eksiltiyorsam neyin karşılığında neyi alıyorum? Otomobilim varken daha lüks bir otomobil almak için saatlerce daha fazla çalışıyorsam, sevdiğim şeylerden vazgeçiyorsam ne önemi var? Ya da bazen insan ilişkileri, çevre. Paranın satın alamayacağı şeyleri getirir, önüne koyar. Diğer yanda eğer inandığım şey için gecemi gündüzüme katıyorsam, yaptığım işten keyif alıyorsam, ortaya çıkardığım değerler için koşturuyorsam bir sorun yok ki... Beraberinde çuvalla da para kazanıyorsam ne güzel; hatta kaçınılmaz olarak gelecek.

Özetle, yüzeysel bir örnek, Ferrari için çalışmak yerine, yaptığım işin sonunda Ferrari geliyorsa bu harika. Çok basit bir örnek, daha fazla kazanmak için ürettiğim ürünün kalitesini düşürüyorsam, iş yaptığım insanların kazancını kısıyorsam ve sonunda daha fazla para kazanıyorsam bugünü kurtarır. Ya da sadece maaşımı almak için hiç sevmediğim, kendimi ait hissetmediğim bir iş yapıyorsam da hayalini kurduğum yaşamı yakalamam çok zor.

Dönüp dolaşıp aynı yere geliyoruz: Önceliklerim ne? Ne istiyorum? Nereye gidiyorum? Paranın da aslında bir araç olduğunu anlayabildiğimde para ile olan ilişkim de kökünden değişecek ve düşünemediğim kapılar açılmaya başlayacak.

Anlamak zor gelse de bir gün anlamak zorunda kalıyoruz. Yeni otomobile sarılamayacağını, banknotlarla öpüşemeyeceğini, evinin duvarlarıyla sevişemeyeceğini, işinle aşk yaşayamayacağını anlıyor insan. Hepsinin, asıl mutluluk, sevgi için araçtan öte olamadığını anladığında insan bazen çok geç kalıyor. Koş, durma, yüksel, daha çok kazan, başarılı ol, aman ha sakın hata yapma, hep güçlü ol... İtiraf etmeye ihtiyacımız var; yorulduğumuzu, aslında en temel ihtiyacımızın sevgi olduğunu, sevgiyi saygıyı bulmanın yolunun paradan, şöhretten, unvanlardan geçmediğini bildiğimizi itiraf etmeye ihtiyacımız var.

Evin içinde seni bekleyen yoksa, sarılabildiğin yoksa ne anlamı var saray olsa?.. Ağlayabileceğin bir omzun yoksa, seni sadece sen olduğun için seven biri yoksa ne anlamı var milyonlarca doların olsa?.. Sen direksiyondayken seni seyreden, sana sevgiyle bakan birileri yoksa ne anlamı var son model otomobilin?.. Seni dişlideki çark gören bir şirkette müdür olsan ne yazar... Uğrunda yaşadığın bir şey yoksa, ne anlamı var imparator olsan?.. Sana öğretilen kopya hayatını yaşamaya devam edebilirsin. Eğer sen, sen isen, lüksün, daha fazla paranın hiçbir zararı yok. Sen, kendini sadece sahip olduklarınla tanımlamıyorsan ve onlar gitse de yaşayabiliyorsan zaten sorun yok.

Sevgisiz, bukalemuna döndüğün bir yaşamda hiçbir şeyin anlamı yok. Tek bir hayatın var. Onu nasıl yaşadığın, isteklerini, yüreğindekileri, seni ne kadar yaşamına taşıyabildiğin değerli olan...

Cesaret Olmadan Her Şey Başa Döner; İradesizlik Gibi

Buraya kadar geldik. Gerçekten yaşamaya başlamanın temel kulvarlarında sohbet ettik. Aslında sen, senin için neyin doğru neyin yanlış olduğunu çok iyi biliyorsun. Söylediklerimin bazılarına katıldın, bazılarına katılmadın. Yapman gerekenlerin farkındasın, nereden başlaman gerektiğini de biliyorsun. Bu saatten sonra ihtiyacın olan ya da bugüne kadar eksikliğini hissettiğin şey: cesaret. Cesaret de yetmedi dersen, derim ki yeterince cesaretli değilmişsin.

Kimileri bana deli diyor. Nedeni ne biliyor musun? Çoğu zaman düşünmeden yola çıkıyorum. Bunu sana önermiyorum. Ancak çok fazla düşünmemen gerektiğini daha önce söyledim. Benim yaşamım, benim seçimim düşünmeden yola çıkmak üzere. Sezgilerimi dinliyorum, yüreğimin sesini hissediyorum ve yürüyorum. Touch diye bir dizi var. Oradaki otistik küçük çocuğu çok seviyorum. Bence o doğru yaşıyor.

Bitmesi gereken ilişkileri sürdürüyoruz, çoktan istifa edilmesi gereken işlere devam ediyoruz, ayrı eve çıkmak gerekirken çıkamıyoruz, yapmak istediğimiz şey için adım atamıyoruz, atsak da çabuk pes ediyoruz. Hayallerimize, aldığımız kararlara itfaiyeci gibi su sıkanlara çabuk teslim oluyoruz. Reddedilmekten korkuyor, kapanan kapılardan geri dönüyoruz.

Korkarak, ürkek yaşıyor sonra da bunun için kendimize çok ama çok kızıyoruz. Çünkü, o korkak, o başarısız, o âciz, sergilediğimiz kişilik her neyse o olmadığımızı, ondan fazlası olduğumuzu biliyoruz.

Sebepler önemli değil, geçmişimiz de değil, bugünkü koşullar da değil, en azından artık değil bunların hepsini daha önce konuştuk. Biraz sonra yerinden güvenle, inançla kalksan seni kim yeniden eski haline döndürecek? Ne döndürecek? Söyleyeyim. Senin bu olmadığını sana hissettirecek, seni geçmişinle değerlendirenler ve ilk duvara çarpışın... Hangi konuda olursa olsun ilk başarısızlığında yine şimdiye döneceksin. İşte cesaretin tanımı ve ihtiyacın olan da tam burada yatıyor.

Senin başarısızlık gördüğün her neyse benim için hedefime, başarı olarak tanımladığım şey her neyse ona bir adım daha demek. Her reddedilişim, her küçümsenişim, her gitmek istediğime gidemeyeceğimi ifade eden söz, benim için ilerlemekte olduğumun ifadesi. Bir şeyler yaşıyor, bir şeyler yapıyorum ki bunlarla karşılaşıyorum.

Hatalar da yapacaksın. Her hatan, sana adım attığını gösteriyor. Golf oynamaya ilk başlayan sopasını toprağa

saplayabilir, kendi kafasına vurabilir. Tenise yeni baş-
layan biri topu ıskalar, raketi elinden kaçırır. Bir şeyi
öğrenmeye çalışırken, birilerinin izlemesinden dahi
rahatsız oluruz. Bizim için düşündüklerinden, başarı-
sız görünüyor olmamızdan dolayı. İyi de, ilk tenis der-
simden başlayarak harika oynayamam ki? Öğrenirken
yapabileceğimin en iyisini yapabilirim, hayatımın her
anında yapmayı ilke edindiğim gibi. Mükemmellik diye
bir şey zaten yok. Ne ki mükemmel? Her mükemmelin
daha mükemmeli vardır. Kendini kandırma. Sen, ya-
pabileceğinin en iyisini yapacaksın ve sadece kendinle
yarışacaksın. Diğeri büyük tuzak. Aşkı, cinselliği, seni
sen yapan her şeyi de yavaş yavaş geliştireceksin, böyle
böyle büyüyeceksin. Umurumda değil, başarısızlığım-
dan, beceremediklerimden haz duyan insanlar ve onla-
rın düşündükleri.

Yeri gelecek hatalarından özür dileyeceksin, yeri ge-
lecek hatalarından aldığın derslerle daha iyisini yapmış
olmanın tarifsiz keyfini yaşayacaksın.

Yaşam sonuçlar değil, sonuçlara giden yolculuğumuz.
Elde edilen başarılar, tatmin olunan bir hayat kimseye
altın tepside sunulmadı. Dışarıdan bekleyerek hiçbir
şey elde edilmedi. Birilerinden bir şey bekledikçe sa-
dece muhtaç olursun. Birilerinden bir şey bekleme, sen
adımlar attığında birileri yanına gelir, seni bulur. Sen
değeri ürettikten sonra, değerini bilen gelir. Her konu-
da, her kulvarda.

Korktuğun, saklandığın her şey seni bulur, kaçtığın her şey seni yakalar. Saklambaç oynama, çık ortaya. Ebelemeye giderken sobelenmek bile, saklandığın yerde sobelenmekten daha iyidir. Zaten er ya da geç sobelenirsin.

Buraya kadar olan hiçbir şey cesur olmayan bir adamın hayatına taşıyabileceği, yaşatabileceği, yansıtabileceği şeyler değil. Cesur olmayan bir insanın gerçekten yaşama şansı da yok. Sürüklenmeye, bukalemun olmaya kafadan mahkûm.

Benimle yürüdüğüne, beni okuduğuna, benimle sohbet ettiğine göre sen böyle yaşamayacaksın. O zaman daha fazla zaman kaybetmeyelim. Cesaretin gelmesini bekleme. Sen yürüdükçe cesaret sende doğar, dışarı taşar. Korkakça, harekete geçmedikçe, görmezden geldikçe mutsuz olacak, kendini sevmeyecek, ne kendine ne çevren ne de insanlığa faydan dokunacak.

Cesaretin izdüşümü iradedir. İradeli insan diye bir şey yoktur. İrade enerjisini kullanan ve kullanamayan insan vardır. İrade denilen şey aldığın kararlar ile eylemlerin arasındaki uyumdur. Fazlası değil. Kararına uygun eylemleri sürdürdükçe, vazgeçmedikçe, sonuçları düşünüp hatta sonuçlar üzerine senaryo yazmadıkça cesaret de irade seninle yürür.

Sıkıştığında, yerden kalkamayacağına ya da tepeye varamayacağını anladığında dur, soluk al. Dua et, me-

ditasyon yap, biraz kendi bahçende dolaş. Enerjini top-
lamadan tekrar saldıramazsın.

Şimdi en başa dönüyoruz. Bu kararlı, cesur yolculu-
ğun gerçekleşebilmesi için niyetini senin için doğru ve
net bir şekilde koymak zorundasın. Bunun için de ken-
dini bilmek ve gerçekten neyi yaşamak istediğine emin
olmalısın. Dönüp dolaşıp aynı yere geldik mi, geldik.

Şimdi sana bir klişeyi bir kez daha söyleyeceğim.
İhtiyacın olan her şey sende. Bu, evrenin düzenin de-
ğişmeyecek gerçeği. Bütünün her bir parçası, bütünün
tüm şifrelerini taşır demiştik. Sen kusursuz bir düzenin
vazgeçilmez bir parçası, gerçek yansımasın. İllüzyon-
lar gözlerini karartıyor, manzaralarının önüne perde in-
diriyor. İndirilen perdelerin en önemlilerine bu kitapta
seninle beraber göz attık. Diğer üç kitap ile birlikte ka-
reyi kurduk. Bundan sonra bambaşka bir kitapla sohbe-
te devam edeceğiz. O zamana kadar, senin alacağın yol,
bizim yolculuğumuzu da etkileyecek. Ben sana inanıyo-
rum, ben sana güveniyorum.

Gerçekten yaşamak için ihtiyacın olan şey cesaret.
Cesaret, bir yerden gelmez bir yerden bulunmaz. Se-
nin hedefe kilitlenmen, senin niyetine odaklanman ile
kendiliğinden doğar. Sen yeter ki ilk adımı at.

Gün oluyor benim de cesaretim kırılıyor. Yalnızlı-
ğıma dönüp, toparlanıyorum. Hayallerimi hayal edip,
niyetime yoğunlaşıyorum. Ulaşacağımı, hayalimin ya-

rınki manzaram olduğunu, gerçek olduğunu biliyorum. Yolum uzuyor biraz, yolda oyalanmış oluyorum ama bir an bile inancımı yitirmiyorum. Bir şeyi de unutmuyorum ki, benim dışımdaki kişi ya da olayları değiştiremem, ben değişebilirim. Ben farklı bir yoldan gidebilirim. Somut örnek karşımdaki insan ile hayalimdeki ilişkiyi yaşayamıyorsam onu değiştiremeyeceğimi bilirim. Ya hayalindeki ilişkiden vazgeçeceksin ya da aslında seni başka bir yöne sürükleyen sevgiliden. Ya işini değiştireceksin ya hayalindeki işten vazgeçeceksin. Ya olduğun seni yaşayacaksın ya da kendinden vazgeçeceksin. Sonuçta karar senin, seçim senin. Sadece seçimlerimizi yaşıyoruz, o seçimleri de biz yapıyoruz.

Söylenme, söyle; yapmaya çalışma, olmaya oldurmaya çalışma, ol. Uzun lafın kısası bu.

Ya gerçekten yaşa ya da sadece nefes alarak yaşıyormuş gibi yaptığını kabul et.

Şimdilik Hoşçakal

"Eğer kalabalıktaysan ama yalnızsan, herkese çok yakınsan ama bir o kadar da uzaksan, gülümsüyorsan içinde derin buruk bir boşluk varken, yapacak çok şeyin varsa fakat hepsini yapacak kadar vaktin olmadığını düşündüğünden her şeyi yarım bırakıyorsan... Ben de senin gibiyim, belki de seninle duruyorum, yanında ya da yanında hissedeceğin bir yerde. Şimdi sana beni anlatacağım ya da bendeki seni.

Şimdi ben buradayım. İki elinin arasında tuttuğun kitapta değil, kafandayım, orada yarattığında... O her nasılsa ve ne yapıyorsa ben oradayım. Bu bir tesadüf değil, anlayacaksın. Benden alabileceklerini, sonrasında aldıklarını sadece sen bileceksin. Bu bir başlangıç...

Yüreğinin sesini duyuyorum, arayışını biliyorum. Bedenimi, ruhumu sonuna kadar açtım. Ruhum benim liderim. Yaşamın hesap defterini kapatıp, izlemek yerine yaşamaya başladığın an neleri hissedeceğini hissetmek, benim varoluşumun ta kendisi...

Gel hadi anlatacağım, sonra da gideceğim."

Böyle başlamıştı ilk sohbetimiz. *İki Yırtık Ruh – Sen ve Ben*'de. Bir kez daha geldim, bir kez daha gidiyorum. Bir kez daha buluşacak mıyız bilmiyorum. Yarın sabahın olup olmadığını bile bilmiyorum. Hiçbir şeyin garantisi yokken, nasıl kesin bir daha görüşeceğiz diyebilirim ki?

Biliyorsun ben kendimi yazarak ifade ediyorum. Yazarken yaşıyorum. Seninle tüm çıplaklığıyla zihnimde, ruhumda, bedenimde olanı paylaşıyorum. Sen nasıl görüyorsun bilmiyorum, nasıl algılıyorsun? Gerçi bu soruların cevabı için yapabileceğim bir şey de yok. Yine de hatalarım olduysa affola. Mutlaka seninle ayrı düştüğümüz noktalar var. Yaşama bakışımızda farklılıklar var. Bizi buluşturan, temelde aynı şeyi arıyor olmamız, aynı şeyi paylaşıyor olmamız. Gerisi teferruat zaten.

Umurumda değil, zengin misin, fakir misin, neye inanıyorsun, ne iş yaparsın, şişman mısın, zayıf mısın, ne unvanın var... Benim için bu ve bunun gibi etiketlerin ardında olan önemli, değerli. "Kim" olduğun değil, "ne" olduğun. Bunların hiçbirisi şu an sana sarılabilmem, seni sevebilmem için önemli değil. He şey değişir, başlar, biter sonunda geriye kalan hep "sen" olursun.

Aynı şey benim için de geçerli. Ben de sen gibiyim. Korkularımla, hayallerimle, çelişkilerimle, gelgitlerimle... Ben ne yaparım, ne ederim, nasıl yaşarım, nerde yaşarım, neye inanır, ne yer, ne içerim ne önemi var? Sonuçta sen ve ben saatlerdir, sayfalardır birlikteyiz. Ve paylaştıklarımız bunlardan çok öte, çok derin.

Bir yerde bir şekilde karşılaşacak, belki hiç konuşma fırsatımız olmayacak, belki sımsıkı sarılacağız, belki beraber gülecek, beraber ağlayacağız, belki iş yapacağız, belki hiç aklımıza gelmeyen hayattan kesitleri, anları paylaşacağız. Belki de fiziksel olarak hiç karşılaşmayacağız. Bilmiyorum ama sonuçta artık bir şekilde bağlıyız. Her şeyin bir ve tek olduğu evrende, biraz daha sıkı bağlıyız artık. Hem beni bulmak, sen de paylaşmak istersen sonraki sayfada tüm iletişim bilgilerim var. Benim için anlamlı ve keyifli olur; senden seni, yüreğini dinlemek, paylaşmak.

Bir daha hiç karşılaşamasak bile, keza yarın sabah İstanbul'a dönebileceğimin bir garantisi de yok, senden isteyeceğim tek şey "sen"den vazgeçme. Her birimiz gibi, sevgiyi, değerli olmayı, paylaşmayı, hayallerine ulaşmayı istiyorsun. Çünkü sen "o"sun. O en derinde yatandan vazgeçme. İnsanlığın, dünyanın sana, senin ışığına ihtiyacı var. Kollarını kenetleyip, duvarlarının arkasında da yaşayabilirsin, kollarını kocaman kocaman iki yana açıp "ben yaşıyorum" diye haykırıp, gerçek bir ışık da olabilirsin. Dualarım seninle. İnanıyorum ikincisi olacak. Buraya kadar okuduğuna göre buna tüm kalbimle inanıyorum.

Kitabın son cümleleri... Karmaşık duygular. Bir yanım hüzünlendi, bir yanım keyiflendi. Son beş gecemde âşık olduğum İstanbul'u geride bırakıp, seninle sabahladım, kitabı toparladım. Bu gece yazmadan sabahlayacağım bir gece olacak. Sessiz, dingin bir kutlama. Sen yine benimle, burada olacaksın. Şömineye beraber odun atacağız. Bu gece eylem yok, cümleler yok. Ateşe gözlerimi dikip, sadece nefes alacağım. Mutluyum. Paylaştıklarımız için, benimle olduğun için... Burada benimle olduğunu hissettirdin.

Bedenen yalnız olduğum oda sen, senin yansımaların dostlarla tıklım tıklım doluydu. Belki de söylememem lazımdır birilerine göre ama umurumda değil. Şu an gözlerimden yaşlar akıyor. Hüzün değil merak etme. Sadece sevgi, huzur ve bunu şu anda hissedemeyenlerin çığlığı. Virgül dedim. Daha çok ama çok paylaşacağımız şey var. Zaman zaman belki bana kızarsın, zaman zaman belki koparız, zaman zaman... Öz değişmez, şu an paylaştıklarımız tükenmez. Şimdi her şeyi kapatıp, bedenimi ateşin karşısındaki kanepeye, ruhumu boşluğa bırakacağım.

Seni seviyorum.

Gerçekten Yaşıyorum Demek İçin...

Bu kitaptaki her bölüm için ciltlerce kitap var. Bu kitap, sadece bir başlangıç, inşa ettiğin duvarda yeni bir tuğla... Benden sana son birkaç cümle...

Kendini Kabul Et

Şu an sen ne isen osun. Yargıcını yaratıp kendini yargılamaktan vazgeç. Hiçbirimiz kusursuz değiliz. Sen de değilsin. Bugüne kadar olduğu gibi bundan sonra da eksiklerin, kusurların, karanlık noktaların olacak. Sen, olduğun gibi değerli, güzel, "sevgi"sin. Sen, seni nasıl kabul edersen, dışarısı da seni öyle kabul edecek. Ben seni olduğun gibi kabul ediyor, olduğun gibi seviyorum, sana saygı duyuyorum.

Kendin Ol

Kendini kıyaslamaktan, başkalarıyla yarışmaktan vazgeçmedikçe, kendin olmaktan başka her şey olmaya devam edeceksin. Yaşadıkların, senin değil, yarattığın illüzyon. Senlerin yaşadıkları olacak. Ancak, sende olan, senin olan, seni yaratabilir. Ben, seni tanımak istiyorum, yarattığın suni senleri değil.

Geçmişi Bugüne Taşıma

Geçmiş artık yok. Sen geçmişini bugüne taşıdıkça, sürekli aynı döngüleri yaşamaya devam edeceksin. Geçmişini değiştiremezsin ama, geçmişin sonuçlarını bugünden başlayarak değiştirebilir, geçmişi gerçekten yok edebilirsin. Değerini geçmişinle belirlemekten bugün vazgeç. Ben seni geçmişinle değil, bugününle tanıyorum, biliyorum.

Hayallerinden Vazgeçme

Hayallerin yoksa nereye gideceksin? Nereye yürüyeceksin? Ne için soluk alacaksın? Bugün hayallerinin tam aksi yönüne yürüyor olsan da hayallerini gömme, yaşat... Günlük hayatına müdahale edilebilir, bedenine de ama zihnine, hayallerine asla. Hayallerin seni gerçek kılacak. Bugünkü hayallerin eninde sonunda yarınki gerçeklerin olacak. Yeter ki hayallerin senin hayallerin olsun, önüne konanlar değil. Ben hayallerinden vazgeçmeden, gerçeklerini yaratacağına yürekten inanıyorum.

İnsanı Anla, İnsanı Gör

Etiketler seni yanıltır. Etiketlerin arkasında kalan insanı gör. İnsanların gözlerine bak, sözlerine, kartvizitlerine, onlar hakkında söylenenlere değil. Bugün seni en çok yoranı, üzeni sen de başkalarına yapma. Yalana değil, gerçeğe, insana bak. Bazen bir bakış, bazen bir dokunuş. Ben, herkesi koşulsuz kucaklıyorum. Herkes ben, ben herkesim.

Cesareti Bul

Kaçtığın her şey döner seni bulur. Kaçtıkça, kaçtığına yakalanacaksın. Adım at, başını çıkar. Beklediğin yerde cesaret doğamaz, büyüyemez. Yola çık. Durgun denizde kaptan olmak marifet değil. Düş, kalk, yaralan, ne olur? Kapıdaki kilidi gördükçe geri çekilenler, sadece bir hapishanede yaşamış olacaklar. Ben, sen korktukça, saklandıkça senden daha çok senin için üzülüyorum.

Sevgiyi Eksiltme

Sevgiyi yaşamak için koşulları, testleri sandığa kilitle. Aradığın sevgiyi ilk götüren oldukça, gerçekten verdikçe nasıl geri döndüğünü gördüğünde beni hatırla. Sevgiyi dilenmek yerine sevgiyi verebilen ol. Her an, her eylemde, her adımda sevgiyle... Benim için sen sevginin ta kendisisin.

Aşksız Kalma

Aşktan vazgeçersen hücrelerin nasıl beslenir, nasıl yüreğin çarpar. Aşk, her şeyken nasıl aşksız kalabilirsin? Aşk her an, her yerde... Aşkı kirletme, içini boşaltma. İnsana aşka hevesi, tutkuyu, heyecanı aşk sandıkça aşka ihanet ediyorsun. Benim ibadetim: aşk.

Cinselliği Tüm Hücrelerinle Yaşa

Cinsellik bedenlerin sürtünmesinden ibaret değil. Bir yatak sporu, bir et alışverişi, bir sıvı değiştokuşu değil. Tüm hücrelerinle duyumsayacağın, bir başka ruh, zihin ve bedenle paylaşacağın kusursuz bir senfoni. Bunu kim kötüleyebilir, kim bastırabilir, kim kirletebilir? Utanma, bastırma, insanca yaşa. Tüketmek için değil, çoğalmak için...

İyilik Bankasında
Mevduatını Yükselt

Bankadaki bol sıfırlı hesapların sana sağlayamayacaklarını, iyilik bankasındaki mevduatın sağlayacak. Yaptığın her iyilik, karşılığını yaptığında değil, mevduat hesabına kazıyacak. İyilik yapıp denize attıkça, en güzel inciler, en renkli balıklar, yaşamın tüm mucizeleri önüne serilecek. Ben, sende sadece iyilik görüyorum.

Sonuçları Anla

Sonuç değişmez. Sonuçlarla kavga etme. Sonuçları geri dönüp değiştiremezsin. Ancak, sonuçların etkilerini değiştirebilirsin. Elindeki bardağı düşürüp kırdığında yapabileceğin şey yeni bir bardak almak ya da kırılan bardağı yapıştırmak olacak. Bardağın kırılmış olduğu gerçeği değişmeyecek.

Zamanı Unut

Zaman bir yere akıp gitmiyor. Bildiğin zaman tik takları sayıyor. Sen bunların ötesindesin. Her şey ama her şey sen bu satırları okurken yaşanıyor şu anda gerçekleşiyor.

Yarın Yok

Belki de gerçekten yok. Yaşamda hiçbir şeyin garantisi yok. Garantiyi bulmaya çalıştıkça adım atamayacaksın. Her şey şu an ise, şu anda garantiye de ihtiyacın yok. Olmayan bir şeye ihtiyaç duyamazsın.

Korkuların Hepsi Bir Varsayım

Korkuların hepsi bir varsayım. Korkular gelecekte var oluyor. Şu anda var olan ancak gerçek olan. Koktuğun başına geldiğinde korkulacak bir şey kalmadığına göre, gerçek olmayan sadece varsayımdır. Bugün maaşını alırken, işin varken, işini kaybetme korkun bir varsayım değil midir? Bugün sevdiğin yanındayken, onu kaybetme korkun bir varsayım değil de nedir?

Paylaştıkça Büyüyeceksin

Kendini güvenli alanda tutmaya çalıştıkça, kırıntılarını saçtıkça gerçekten paylaşmış olmayacaksın. Paylaşmış olmak için değil, gerçekten paylaşmak için paylaş. Ne enayi olursun, ne de saf. Paylaştığının değerinin bilinip bilinmemesine göre paylaşırsan ne önemi kalır?.. Paylaştıkça yayılacak, yerden yükselecek, Yaradan'ın enerjisini seninle paylaşmasına nail olacaksın. Ben, beni yaratan tüm hücrelerimle kendimi seninle paylaşıyorum.

Para ve Kariyer Araçtır, Amaç Değil

Para için endişelenme. Para için çalışma. Sana uygun olanı, sevdiğin şeyi yaptıkça tatmin olacak ve şu anda göremediğin bir bolluğa kavuşacaksın. Gerçekten ne iş yaparsan tatmin olacak, kendini yansıtacaksın. Ben senin, para ve unvanın kölesi değil, efendisi olacağını biliyorum.

Yalnızlığına Sahip Çık

Kalabalığın içinde yalnız kalmak, yağmurdan kaçarken doluya tutulmaktan daha ağır. Kendinden kaçıp, günlerini kendinden kaçmak yerine,dur, nefes al, bedenini dinle, seni dinle.

Kollarını Aç

Kollarını göğsünde kavuşturup da yaşayabilirsin, iki yana açabildiğin kadar açarak da... Hangisini seçiyorsun? Kollarını iki yana açmadan, görüneni, görünmeyeni, üzüntüyü, sevinci, acıyı, zevki, sevgiyi, korkuyu, insanı, hayvanı, böceği, suyu kolların açık karşılayamadan yaşamaya ben yaşamak demiyorum. Yaşam da öyle diyor, biliyorum. Sen de biliyorsun.

Her Şey Bir ve Tek

Sen benim yansımamsın. Yaşamına giren herkes ve her şey de senin yansıman. Her şey bir ve tek. Hallac-ı Mansur ne güzel ifade etmiş: Enelhak. Bütünün her bir parçası, bütünün tüm şifrelerini taşır. Evrenin, yaratılışın her bir parçası her bir sırrı, tüm şifreleri senin hücrelerinde...

Sen ve Ben

Şimdilik ayrılıyormuş gibi görünen "sen" ve "ben" hiçbir an ayrı düşmedik. Her şeyin bir ve tek olduğu bir dünyada nasıl düşebilir ki... "Sen" ve "ben", bizi biz yapan her şeyle birbirimizi kucaklıyor, birbirimize karışıyoruz. "Sen" "ben"de yaşıyorsun, "ben" "sen"de... "Sen" ve "ben"in yansımalarında değil. Varoluşunu seviyorum.